Guía de los mejores PROYECTOS PARA LA FERIA DE CIENCIAS

Guía de los mejores
PROYECTOS
PARA LA
FERIA DE CIENCIAS

Janice VanCleave

LIMUSA • WILEY

El editor y la autora se han esforzado en garantizar la seguridad de los experimentos y actividades presentados en este libro cuando se realizan en la forma descrita, pero no asumen responsabilidad alguna por daños causados o provocados al llevar a cabo cualquier experimento o actividad de la *Guía de los Mejores Proyectos para la Feria de Ciencias*.

Los padres, supervisores y maestros, juntos o por separado, deben vigilar a los jóvenes lectores cuando realicen tales actividades.

VERSIÓN AUTORIZADA EN ESPAÑOL DE LA OBRA PUBLICADA EN INGLÉS POR JOHN WILEY & SONS, INC. CON EL TÍTULO:
GUIDE TO THE BEST SCIENCE FAIR PROJECTS
© JANICE VANCLEAVE.

COLABORADOR EN LA TRADUCCIÓN:
RODOLFO PIÑA GARCÍA

GRUPO NORIEGA EDITORES
BALDERAS 95, MÉXICO, D.F.
C.P. 06040
8503 8050
01(800) 706 9100
5512 2903
limusa@noriega.com.mx
www.noriega.com.mx

CANIEM NÚM. 121

HECHO EN MÉXICO
ISBN 968-18-5585-X

Dedicatoria

Dedico esta obra a una profesora de gran capacidad y talento,
cuya ayuda para escribir este libro fue invaluable.
Fue un verdadero placer trabajar con mi amiga
y colega Holly Ruiz.

Agradecimientos

Agradezco a Laura Roberts Fields
y Ann Skrabanek su apoyo y útiles ideas.
Un agradecimiento especial a John Cook,
editor de producción, por su paciencia
y el tiempo que dedicó a este proyecto.

Unidades de medida

■ Como podrás ver, en los experimentos se emplean el Sistema Internacional (sistema métrico) y el sistema inglés, pero es importante hacer notar que las medidas intercambiables que se dan son aproximadas, no las equivalentes exactas.

■ Por ejemplo, cuando se pide un litro, éste se puede sustituir por un cuarto de galón, ya que la diferencia es muy pequeña y en nada afectará el resultado.

■ Para evitar confusiones, a continuación tienes unas tablas con los equivalentes exactos y con las aproximaciones más frecuentes.

ABREVIATURAS		
kilómetro = km	yarda = yd	taza = t
metro = m	atmósfera = atm	onza = oz
centímetro = cm	galón = gal	cucharada = C
milímetro = mm	cuarto de galón = qt	cucharadita = c
pie = pie	litro = l	pinta = pt
pulgada = pulg	mililitro = ml	

TEMPERATURA		
Sistema inglés	*Sistema Internacional (métrico decimal)*	
32°F (Fahrenheit)	0°C (Celsius)	Punto de congelación
212°F	100°C	Punto de ebullición

MEDIDAS DE VOLUMEN (LÍQUIDOS)		
Sistema inglés	***Sistema Internacional (métrico decimal)***	***Aproximaciones más frecuentes***
1 galón	= 3.785 litros	4 litros
1 cuarto de galón (E.U.)	= .946 litros	1 litro
1 pinta (E.U.)	= 473 mililitros	1/2 litro
1 taza (8 onzas)	= 250 mililitros	1/4 de litro
1 onza líquida (E.U.)	= 29.5 mililitros	30 mililitros
1 cucharada	= 15 mililitros	
1 cucharadita	= 5 mililitros	

UNIDADES DE LONGITUD (DISTANCIA)		
Sistema inglés	***Sistema Internacional (métrico decimal)***	***Aproximaciones más frecuentes***
1/8 de pulgada	= 3.1 milímetros	3 mm
1/4 de pulgada	= 6.31 milímetros	5 mm
1/2 de pulgada	= 12.7 milímetros	12.5 mm
3/4 de pulgada	= 19.3 milímetros	20 mm
1 pulgada	= 2.54 centímetros	2.5 cm
1 pie	= 30.4 centímetros	30 cm
1 yarda (= 3 pies)	= 91.44 centímetros	1 m
1 milla	= 1,609 metros	1.5 km

UNIDADES DE MASA (PESO)		
Sistema inglés	***Sistema Internacional (métrico decimal)***	***Aproximaciones más frecuentes***
1 libra (E.U.)	= 453.5 gramos	1/2 kilo
1 onza (E.U.)	= 28 gramos	30 g

Contenido

I. Guía de proyectos para la feria de ciencias

II. 50 ideas de proyectos para la feria de ciencias

Ciencias de la Tierra

Ingeniería

Ciencias físicas

Matemáticas

I

GUÍA DE PROYECTOS PARA LA FERIA DE CIENCIAS

Capítulo 1

Cómo usar este libro

¿Conque vas a hacer un proyecto para la feria de ciencias? ¡Qué bien! Quizá elijan tu trabajo para concursar en la feria de tu escuela e incluso en eventos regionales, estatales o nacionales. Como participante, tendrás que hacer resaltar tu trabajo y posiblemente recibas premios. Pero, lo que es más importante, también aprenderás mucho acerca de las ciencias observando y compartiendo con los otros participantes de la feria.

Un **proyecto de ciencias** es como un misterio en el que eres el detective que busca respuestas a seis incógnitas: quién, qué, cuándo, dónde, cómo, por qué. Realizar el trabajo te permite practicar y mostrar tus habilidades como detective; no sólo eliges el misterio por resolver, sino que también puedes diseñar métodos creativos para descubrir las pistas que te llevarán a la revelación final. Este libro te servirá de guía y te dará buenas ideas. ¡A ti te toca descubrir las respuestas!

Para resolver un misterio científico, igual que en un caso de detectives, se requiere planeación y la recolección cuidadosa de hechos. No intentes armar un proyecto de un día para otro; el resultado sólo es la frustración y te priva de la diversión de ser un detective de las ciencias. Sin embargo, con un poco de planeación tu participación en la feria de ciencias resultará positiva y gratificante. Este libro te enseña cómo planear a futuro y te proporciona también la habilidad y las técnicas para convertir experimentos sencillos en proyectos competitivos para la feria de ciencias. Así es que antes de empezar a experimentar, lee la Parte I completa. En ella se explican los ocho puntos más importantes que debes conocer para tener éxito en la feria de ciencias. Estos ocho puntos son:

1. *El método científico*. Pensar acerca de las soluciones a problemas y probar cada posibilidad para llegar a la mejor solución es a lo que se reduce el método científico. En el capítulo 2 se describen los pasos de este método y la manera en que los científicos utilizan esta herramienta básica.
2. *Investigación de temas*. La elección del tema es la parte más difícil de un proyecto para la feria de ciencias. Las sugerencias de investigación del capítulo 3 te ayudarán a que la elección del tema resulte agradable. Como conceptos que se usan en este libro, las palabras siguientes tienen un significado particular: **Investigar**, proceso de recabar datos e información. **Datos**, observaciones y hechos medidos que se obtienen experimentalmente. **Investigación del tema**, indagaciones realizadas para elegir el tema de un proyecto.
3. *Categorías*. En el capítulo 4 se presenta una lista de categorías que se usan en las ferias de ciencias. Identifica la categoría en la que se incluye tu proyecto desde el principio de la investigación. Para la evaluación del contenido de un proyecto, el jurado se basa en la categoría en que se inscribió. Por ejemplo, un proyecto de botánica inscrito equivocadamente en la categoría de matemáticas con toda seguridad recibirá una calificación muy baja.
4. *Investigación del proyecto*. Una vez seleccionado el tema, es tiempo de indagar tanto como sea posible acerca del mismo. La **investigación del proyecto** te ayuda a comprender el tema. Esto implica más que la simple lectura del material que encuentres en la biblioteca; en este punto se incluyen entrevistas a personas con amplios conocimientos sobre el tema y la realización de experimentos de exploración. Los **experimentos de exploración**, según se define en este libro, son los experimentos empleados para enriquecer las investigaciones. En el

capítulo 5 se presentan sugerencias e instrucciones para realizarlos. En el mismo capítulo se indica también cómo solicitar información impresa a personas e instituciones.

5. *Un proyecto de muestra.* El capítulo 6 te guía paso a paso en el proceso de recabar información y su uso para identificar un **problema** (una pregunta científica por resolver), para proponer una hipótesis y diseñar un experimento del proyecto. Una **hipótesis** es una idea acerca de la solución de un problema, basada en conocimientos e investigaciones. Un **experimento del proyecto** es el que se diseña para probar una hipótesis. Encontrarás que las instrucciones presentadas en este capítulo serán invaluables cuando prepares tu propio proyecto.
6. *El informe del proyecto.* El informe del proyecto es el registro escrito de tu proyecto completo desde el principio hasta el final. El capítulo 7 te enseña cómo redactar el informe de un proyecto una vez que lo has terminado. Tu profesor te dirá el nivel de detalle que deberás usar en el informe. El capítulo te presenta instrucciones que pueden aplicarse en un informe sencillo o complejo.
7. *El módulo de exhibición.* La exhibición del proyecto puede ser una experiencia divertida. Los ejemplos del capítulo 8 para construir un bastidor harán que la experiencia sea sencilla y disfrutable.
8. *Presentación y evaluación.* El capítulo 9 te ayuda a prepararte para la evaluación y te dice lo que puedes esperar de la feria.

La Parte II presenta investigaciones e ideas para planear y desarrollar proyectos sobre 50 temas para la feria de ciencias. Ninguno está pensado como proyecto completo en sí mismo, sino para ofrecerte únicamente pautas para que desarrolles tu propio proyecto. Lo divertido de un proyecto para la feria de ciencias radica en explorar un tema que despierte tu interés, en encontrar y registrar información, en planear el experimento del proyecto, en organizar los datos y en llegar a una conclusión. Un proyecto para la feria de ciencias te deja hacer tus propios descubrimientos. ¡Con una actitud entusiasta, puedes lograr grandes metas! Así que, ¡empecemos!

Capítulo 2

El método científico

Un proyecto de ciencias es una investigación que utiliza el método científico para dar respuesta a un problema científico. Para facilitarte el trabajo, antes de iniciar tu proyecto, es necesario que entiendas qué es el método científico. En este capítulo se usan ejemplos para ilustrar y explicar sus pasos básicos; en los capítulos 3 al 5 se ofrecen más detalles; y en el capítulo 6 se aplica el método científico en un proyecto de muestra. El **método científico** es la "herramienta" que utilizan los científicos para encontrar las respuestas a preguntas. Es el proceso de considerar las posibles soluciones de un problema y de probar cada posibilidad para llegar a la mejor solución. El método científico incluye los pasos siguientes: investigación, identificación del problema, formulación de una hipótesis, experimentación y conclusión.

INVESTIGACIÓN

Investigar es el proceso de recabar información de tus propias experiencias, de fuentes calificadas y de datos de experimentos de exploración. Tus primeras investigaciones sirven para seleccionar el tema de un proyecto. A esto se le llama investigación de temas. Por ejemplo, si ves diferentes semillas en la cocina y se te ocurre pensar si crecerán. Si como resultado de esta curiosidad, decides aprender cómo crecen las semillas, tu tema será acerca de la **germinación**.

Una vez que el tema está seleccionado, empiezas lo que se llama investigación del proyecto. Son investigaciones que te ayudan a comprender el tema, a plantear un problema, a proponer una hipótesis y a diseñar uno o más experimentos del proyecto —experimentos diseñados para probar la hipótesis—. Un ejemplo de investigación del proyecto como experimento de exploración sería sembrar frijol pinto. El resultado de este experimento y otras investigaciones te proporcionan la información para el paso siguiente —la identificación del problema.

Consulta muchas fuentes impresas —libros, revistas y periódicos— así como fuentes electrónicas —software de computadora y servicios en línea.

Recaba información de profesionistas —instructores, bibliotecarios y científicos, como médicos y veterinarios.

Realiza otros experimentos de exploración como los que se presentan en las ideas para proyectos de ciencias de la Parte II.

PROBLEMA

La identificación del problema es la pregunta científica por resolver. Se expresa mejor como una pregunta "abierta", que es la que se responde con un enunciado, no con un simple sí o un no. Por ejemplo, "¿De qué manera afecta la luz a la germinación de las semillas de frijol?"

Limita el problema. Observa que la pregunta anterior se refiere a un periodo del desarrollo de la semilla y a un tipo de semilla en particular, en vez de a las semillas en general. Para responder a una pregunta como: "¿De qué manera afecta la luz a las semillas?" sería necesario que probaras diferentes periodos del desarrollo de las semillas y una amplia variedad de semillas.

Elige un problema que pueda resolverse experimentalmente. Por ejemplo, la pregunta "¿Qué es una linterna?" puede responderse buscando la definición de *linterna* en el diccionario. "¿Qué hace brillar al foco de una linterna?" puede responderse por experimentación.

HIPÓTESIS

Una hipótesis es una idea acerca de la solución de un problema, basada en el conocimiento y la investigación. Aun cuando la hipótesis es un solo enunciado, constituye la clave para que un proyecto tenga éxito. Toda la investigación de un proyecto se hace con el fin de plantear un problema, proponer una respuesta para el mismo —la hipótesis— y diseñar la experimentación del proyecto. Por lo tanto, toda la experimentación de tu proyecto se llevará a cabo para probar la hipótesis. La hipótesis deberá hacer una afirmación acerca de la manera en que se relacionan dos factores. Por ejemplo, en la siguiente hipótesis los factores que se relacionan son la luz y la germinación de una semilla. Es decir, una hipótesis para la pregunta del problema que estás intentando resolver es:

"Pienso que las semillas de frijol no necesitan luz durante la germinación. Mi hipótesis se basa en los hechos siguientes:

- En los empaques de semillas se recomienda al usuario sembrar las semillas bajo el suelo, donde está oscuro.
- En mi experimento de exploración, los frijoles pintos germinaron bajo la superficie del suelo en ausencia de luz."

Establece hechos de experiencias u observaciones pasadas en las que hayas basado tu hipótesis.
Formula por escrito tu hipótesis antes de empezar la experimentación del proyecto.
No modifiques tu hipótesis aun cuando la experimentación no la respalde. Si hay tiempo, repite o vuelve a diseñar el experimento.

EXPERIMENTACIÓN

La experimentación del proyecto es el proceso de probar la hipótesis. A las cosas que tienen un efecto en el experimento se les llama **variables**. Hay tres clases de variables que necesitas identificar en tus experimentos: independientes, dependientes y controladas. La **variable independiente** es la que puedes manipular (cambiar) a propósito. La **variable dependiente** es la que está sujeta a observación y que cambia en respuesta a la variable independiente. A las variables que no cambian se les llama **variables controladas**.

El problema que se presenta se refiere al efecto de la luz sobre la germinación de las semillas. La variable independiente del experimento es la luz y la variable dependiente es la germinación de las semillas. Otros factores podrían ocasionar cambios en la variable dependiente. Para asegurarse de que no afecten el resultado, se establece un **control**. En un control, todas las variables son idénticas al arreglo experimental —tu arreglo original— excepto por la variable independiente. Los factores que son idénticos tanto en el arreglo experimental como en el de control son las variables controladas. Por ejemplo, prepara el experimento sembrando 3 o 4 frijoles diferentes, un tipo de frijol por recipiente. Coloca los recipientes en un armario oscuro para que no reciban luz. Si al término del tiempo establecido las semillas crecen, puedes afirmar que no fue necesaria la luz para la germinación. Pero, antes de tomar esta decisión, debes determinar experimentalmente si las semillas crecerían con luz. Por tanto, debe disponerse un grupo de control de tal modo que el recipiente reciba luz durante el periodo de prueba. Las otras variables del arreglo experimental y los arreglos de control, como el tipo de recipiente, el suelo, la cantidad de agua, la temperatura y el tipo de semillas usadas deberán mantenerse iguales. Éstas son variables controladas.

Trabaja con una sola variable independiente durante un experimento.
Repite el experimento más de una vez para comprobar tus resultados si tienes suficiente tiempo.
Organiza los datos. (Lee el capítulo 6, "Un proyecto de muestra", donde hay información sobre la organización de los datos de los experimentos.)
Trabaja siempre con un control.

CONCLUSIÓN

La conclusión del proyecto es un resumen de los resultados de la experimentación del proyecto y un enunciado de la manera en que los resultados se relacionan con la hipótesis. Incluye también, si así es el caso, las razones por las que los resultados experimentales contradicen la hipótesis. En caso de que se puedan aplicar, la conclusión puede terminar proponiendo ideas para pruebas adicionales.

Si los resultados no confirman tu hipótesis:

No modifiques tu hipótesis.
No omitas resultados experimentales que no respalden tu hipótesis.

Ofrece posibles razones de la discrepancia entre tu hipótesis y los resultados experimentales.

Presenta las maneras en que puedes realizar otros experimentos para encontrar una solución.

Si los resultados confirman tu hipótesis:

Podrías decir, por ejemplo: "Como establecí en mi hipótesis, pienso que la luz no es necesaria durante la germinación de semillas de frijol. Mi experimentación respalda la idea de que las semillas de frijol germinarán sin luz. Después de 7 días, se observó el crecimiento de las semillas objeto de la prueba a plena luz y sin luz. Es posible que haya entrado cierta cantidad de luz en los recipientes "sin luz" que se colocaron en un armario oscuro. Si quisiera mejorar este experimento, colocaría los recipientes "sin luz" en una caja a prueba de luz y los envolvería con material también a prueba de luz, como papel aluminio."

Capítulo 3

Investigación de temas

Ahora que entiendes el método científico, te encuentras listo para iniciar el trabajo.

LLEVA UN DIARIO

Compra un cuaderno de pasta dura para que escribas todo lo relacionado con el proyecto. Éste será tu **diario** o **bitácora**. Contendrá tus ideas originales, así como las ideas que obtengas en libros o de maestros y científicos. En este cuaderno anotarás las descripciones de tus experimentos, así como diagramas, fotografías y observaciones de todos tus resultados.

Cada apunte debe ser lo más claro posible y estar fechado. La información de este registro te facilitará la preparación del reporte de tu trabajo; y tal vez hasta sea conveniente presentarlo como parte del proyecto terminado. Un diario claro y ordenado constituye un registro completo y exacto de tu proyecto, de principio a fin. También es una prueba del tiempo que dedicaste a escudriñar en busca de las respuestas del misterio científico que decidiste resolver.

SELECCIÓN DEL TEMA

Desde luego, tu intención es obtener la máxima calificación en tu proyecto, obtener reconocimientos y aprender muchas cosas nuevas en la feria de ciencias. Algunas o todas estas metas son posibles, pero como tendrás que dedicar una gran cantidad de tiempo trabajando en tu proyecto, es mejor que escojas un tema que te interese. De preferencia, selecciona un tema y persevera en él, pero si después de haber realizado cierto trabajo encuentras que tu tema no es tan interesante como habías pensado en un principio, detente y elige otro. Puesto que lleva tiempo desarrollar un buen proyecto, no es conveniente saltar repetidamente de un tema a otro. De hecho, puedes decidir persistir en tu idea original aun cuando no sea tan interesante como habrías esperado. Lo más seguro es que llegues a descubrir algunos hechos que no conocías.

Recuerda que el objetivo de un proyecto es aprender más acerca de las ciencias. Tu proyecto no tiene que ser muy complejo para que tenga éxito. Es posible desarrollar excelentes proyectos que respondan a preguntas básicas y elementales acerca de eventos o situaciones que se encuentran en la vida diaria. Hay varias maneras, muy sencillas, de seleccionar un tema. Las siguientes son sólo algunas de ellas.

MIRA CON ATENCIÓN EL MUNDO QUE TE RODEA

Puedes convertir experiencias cotidianas en temas de un proyecto aplicando la pregunta "de exploración": "¿Por qué será que...?" Por ejemplo, con frecuencia ves flores puestas en un florero. Las flores lucen hermosas durante días. Si esto lo expresas como una pregunta de exploración —"¿Por qué duran tanto las flores en un florero con agua?"—, entonces tienes una buena pregunta acerca de las plantas. Pero, ¿podría ser el tema de un proyecto? ¡Piénsalo! ¿Es únicamente el agua del florero la que mantiene frescas las flores? ¿Afecta la forma en que están cortados los tallos de las flores? Si continúas planteando preguntas, llegarás al tema del movimiento del agua en las plantas.

Mantén atentos ojos y oídos, y empieza por hacerte a ti mismo más preguntas de exploración, tales como: "¿Por qué mi papá pinta tan seguido la casa?" "¿Durarán más unas marcas de pintura que otras?" "¿Y si pruebo diferentes tipos de pintura en piezas de madera?" Para saber más acerca de estas cosas, puedes investigar y diseñar un proyecto completo para la feria de ciencias sobre el tema de la durabilidad de diferentes tipos de pintura. Te sorprenderás del número de ideas para posibles proyectos que te vendrán a la mente cuando empieces a mirar a tu alrededor y apliques las preguntas "de exploración".

Es de llamar la atención el número de comentarios y preguntas que escuchas de quienes te rodean o que te haces a ti mismo y que podrían usarse para desarrollar temas adecuados para la feria de ciencias. Puede ser un simple comentario como: "De tal palo tal astilla, es zurdo como su papá." Esta afirmación puede ser un buen comienzo. Si te encuentras en la fase de búsqueda del proyecto, este comentario puede convertirse en una pregunta de exploración: "¿Qué porcentaje de las personas son zurdas?" o "¿Hay más niños zurdos que niñas zurdas?" Estas preguntas podrían llevarte a desarrollar un proyecto sobre el tema de la genética (el hecho de heredar características de los padres).

ELIGE UN TEMA A PARTIR DE TUS EXPERIENCIAS

Estar resfriado no es agradable, pero esta experiencia "incómoda" te puede servir para seleccionar el tema de un proyecto. Por ejemplo, quizá recuerdes que cuando estabas resfriado, la comida no tenía tan buen sabor. Pregúntate a ti mismo: "Quisiera saber, ¿pasó eso porque tenía tapada la nariz y no podía oler la comida?" Un proyecto sobre el gusto y el olfato podría ser muy interesante. Después de investigar, podrías decidirte por resolver el problema: "¿De qué manera afecta el olfato al sentido del gusto?" Plantea la hipótesis y empieza a diseñar el experimento de tu proyecto. Para más información acerca del desarrollo de un proyecto, lee el capítulo 6, "Un proyecto de muestra".

ENCUENTRA UN TEMA EN REVISTAS DE CIENCIAS

No esperes encontrar ideas en las revistas de ciencias con todo y sus instrucciones detalladas sobre la forma de realizar experimentos y diseñar módulos de exhibición. Lo que con seguridad puedes encontrar son hechos que despierten tu interés y que te lleven a plantear preguntas de exploración. Un artículo sobre la fauna del Antártico podría traerte a la mente las siguientes preguntas de exploración: "¿Cómo se mantienen calientes los pingüinos?" "¿Los pingüinos gordos tienen menos frío que los flacos?" ¡Vaya! El aislamiento corporal, otro gran tema para un proyecto.

SELECCIONA EL TEMA EN UN LIBRO DE PROYECTOS PARA FERIAS DE CIENCIAS O DE EXPERIMENTOS CIENTÍFICOS

Los libros de proyectos para ferias de ciencias, como éste, te ofrecen muchos temas para escoger. Aun cuando los libros de experimentos científicos no presentan tantos detalles como los de proyectos para ferias de ciencias, muchos de ellos pueden proporcionarte experimentos de exploración tipo "libro de cocina"; es decir, te dicen qué debes hacer, cuáles deberán de ser los resultados y por qué. Pero dependerá de ti aportar todas las preguntas de exploración y las ideas para la experimentación adicional. Todas las ideas de proyectos descritas en este libro pueden afinar tus habilidades para expresar preguntas de exploración. En algunos de los experimentos se mencionan los títulos de la colección que parece escrita especialmente para ti, *Biblioteca científica para niños y jóvenes*, así como otros títulos de Janice VanCleave; las versiones publicadas suman ya más de una docena. ¡Y está al pendiente, porque habrá más novedades!

ALGO POR CONSIDERAR

Es preferible que no experimentes con animales vertebrados o bacterias. Si es indispensable incluirlos en un proyecto, solicita información a tu profesor sobre los permisos especiales requeridos por los organizadores de la feria. Generalmente se requiere supervisión por parte de un profesional, como un veterinario o un médico. No debes perder de vista que tu proyecto no debe causar daños ni someter a tensión indebida a un ser viviente.

Capítulo 4

Categorías

En todas las ferias hay una lista de categorías, por lo que necesitas pedir la asesoría de tu profesor para que estés seguro de la categoría en que debes inscribir tu proyecto. Este aspecto es muy importante, puesto que a los jurados se les pide que evalúen el contenido de cada proyecto con base en la categoría en la que está inscrito; existe una seria penalización si el proyecto se inscribe en la categoría equivocada. A continuación están las categorías comunes en una feria de ciencias con una breve descripción de cada una ellas; por ejemplo, la estructura de las plantas podría entrar en botánica o anatomía. Las 50 ideas para proyectos de la Parte II incluyen la categoría en que puede inscribirse el proyecto. Las categorías son:

- **astronomía**: el estudio de las estrellas, los planetas y otros objetos del universo.
- **biología**: el estudio de los seres vivientes.

  1. **anatomía**: el estudio de la estructura de plantas y animales.
  2. **behaviorismo**: el estudio de las acciones que alteran la relación entre un organismo y su medio natural. Se denomina también conductismo, etología o, sencillamente y según el caso, conducta animal o conducta vegetal.
  3. **botánica**: el estudio de las plantas y la vida vegetal, incluyendo su estructura y crecimiento.
  4. **ecología**: el estudio de las relaciones de los seres vivos con otros seres vivos y con su ambiente.
  5. **genética**: el estudio de los métodos de transmisión de cualidades de los padres a su descendencia; los principios de la herencia en los seres vivos.
  6. **microbiología**: el estudio de organismos microscópicos, como hongos, bacterias y protozoarios.
  7. **fisiología**: el estudio de los procesos vitales, como la respiración, la circulación, el sistema nervioso, el metabolismo y la reproducción.
  8. **zoología**: el estudio de los animales, incluyendo su estructura y crecimiento.

- **ciencias de la Tierra**: el estudio de la Tierra.

  1. **geología**: el estudio de la Tierra, incluyendo la composición de sus estratos, su corteza y su historia. Los subtemas pueden incluir:

     a. **fósiles**: restos o huellas de formas de vida prehistóricas preservadas en la corteza terrestre.
     b. **mineralogía**: el estudio de la composición y formación de los minerales.
     c. **rocas**: sólidos constituidos por uno o más minerales.
     d. **sismología**: el estudio de los movimientos telúricos.
     e. **vulcanología**: el estudio de los volcanes.

  2. **meteorología**: El estudio del tiempo atmosférico, el clima y la atmósfera terrestre.
  3. **oceanografía**: El estudio de los océanos y los organismos marinos.
  4. **paleontología**: El estudio de las formas de vida prehistóricas.

- **ingeniería**: la aplicación del conocimiento científico para fines prácticos.
- **ciencias físicas**: el estudio de la materia y la energía.

  1. **química**: el estudio de los materiales que forman las sustancias y la manera en que cambian y se combinan.

2. **física**: el estudio de la energía y de las leyes del movimiento. Los subtemas incluyen estudios en las siguientes áreas:

   a. **electricidad**: la forma de energía asociada con la presencia y el movimiento de cargas eléctricas.
   b. **energía**: la capacidad para realizar trabajo.
   c. **gravedad**: la fuerza de atracción de los cuerpos celestes, como planetas y lunas; la fuerza en un cuerpo celeste que ejerce una atracción hacia su centro sobre los objetos que están sobre él o en sus cercanías.
   d. **máquinas**: dispositivos que facilitan el trabajo.
   e. **magnetismo**: la fuerza de atracción o repulsión entre polos magnéticos y la atracción que tienen los imanes sobre materiales magnéticos.

- **matemáticas**: El uso de números y símbolos para estudiar cantidades y formas.

  1. **geometría**: La rama de las matemáticas que estudia los puntos, líneas, planos y sus relaciones correspondientes.

Capítulo 5

Investigación del proyecto

Una vez concluida la investigación del tema y seleccionado uno, te encuentras listo para iniciar la investigación del proyecto. Por lo general, este trabajo es más completo que la simple investigación del tema. La investigación del proyecto es el proceso de recabar información de fuentes acreditadas, como libros, revistas, software, bibliotecarios, profesores, padres, científicos y otros profesionales, sin olvidar los datos que recabaste en los experimentos de exploración. Lee lo más que puedas sobre el tema que hayas seleccionado para que lo comprendas y estés enterado de los trabajos hechos por otras personas. Asegúrate de dar crédito a quien lo merezca y de registrar toda la información y los datos en tu bitácora.

El éxito de tu proyecto dependerá en gran medida de tu dominio y conocimientos relacionados con el mismo. Entre más leas y más preguntas hagas a personas que conozcan del tema, lo entenderás mejor. Todo esto te facilitará la explicación de tu proyecto a otras personas, en particular al jurado de la feria de ciencias. Hay dos tipos básicos de investigación: primaria y secundaria.

INVESTIGACIÓN PRIMARIA

La **investigación primaria** es la información que recabas por ti mismo. Incluye la información de los experimentos de exploración que realices, las investigaciones y entrevistas que lleves a cabo, así como las respuestas que recibas a tus cartas.

Entrevista a personas que tengan conocimientos específicos del tema: profesores, doctores, científicos u otras personas cuyas carreras les permitan dominar áreas de conocimiento relacionadas con tu tema. Digamos que tu trabajo es acerca de la velocidad de desplazamiento de los dinosaurios. ¿Quién sabe de dinosaurios? Pregunta a los profesores de ciencias de tu escuela; pueden tener un interés especial en los dinosaurios o conocer a alguien que lo tenga. ¿Hay un museo cercano donde exhiban dinosaurios? ¡Visítalo! Los dueños de tiendas de rocas y minerales también saben de fósiles y podrían proporcionarte información. Una visita al departamento de geología de una universidad te sería igualmente de gran ayuda.

Antes de visitar a la persona que quieras entrevistar, prepárate. Para esto, escribe una lista de las preguntas que quieras hacer. Es bueno que hables lo que sabes de tu tema con alguien que no sepa nada de él; de esta forma, te verás obligado a organizar tus pensamientos e inclusive puedes encontrar más preguntas para agregarlas a tu lista. Una vez que tengas tu lista completa, estás listo para hacer la llamada telefónica. Si sigues reglas simples de cortesía, con seguridad encontrarás que la persona a la que llames estará dispuesta a ayudarte:

1. Identifícate.
2. Identifica la escuela a la que asistes y a tu profesor.
3. Explica brevemente el motivo de tu llamada. Incluye información acerca de tu proyecto y explica de qué manera puede ayudarte la persona.
4. Solicita la entrevista a una hora conveniente; la entrevista puede ser telefónica o personal. Asegúrate de decir que la entrevista durará entre 20 y 30 minutos.
5. Pregunta si puedes grabar la entrevista. Es preferible grabarla porque es posible que obtengas más información si no tienes que estar escribiendo todas las respuestas. Puede darse el caso que la persona esté libre cuando la llames, así que debes estar preparado para efectuar la entrevista.
6. Sé puntual e inicia la entrevista de inmediato. Asimismo, sé cortés y termina la entrevista a tiempo.

7. Agradece a la persona por el tiempo concedido y por la información proporcionada.
8. Deberás enviar una nota de agradecimiento por concederte la entrevista, así es que asegúrate de anotar el nombre y la dirección de la persona.

Puedes escribir cartas solicitando información en lugar de hacer una entrevista, o mandar cartas además de realizar la entrevista. Busca al final de los artículos publicados nombres y direcciones donde puede obtenerse más información. Tu bibliotecario puede auxiliarte para localizar publicaci tualizadas relacionadas con el tema. Si tu p trata de un producto del hogar, busca la dirección del fabricante en el empaque. Dirige tu carta al departamento de relaciones públicas. Solicita todo el material impreso disponible sobre tu tema. Envía tu carta tan pronto como sea posible para dar tiempo a que te envíen el material. Puedes usar una carta modelo, similar a la que se muestra aquí, para facilitar su envío a tantas personas y organizaciones como puedas encontrar.

Lacey Russell
231 Kids Lane
Woodlands, OK 74443

31 de agosto de 2005

The Dial Corporation
15101 North Scottsdale Road
Station 5028
Scottsdale, AZ 85254

Estimado Director:

Soy una alumna de sexto grado que trabaja actualmente en un proyecto para la Feria de Ciencias de la Escuela Davin. Mi proyecto es acerca de las condiciones que afectan el crecimiento bacteriano. Apreciaría enormemente cualquier información que tenga sobre las propiedades "antibacterianas" de su producto. Por favor envíeme la información tan pronto como le sea posible.

Muchas gracias.

Sinceramente,

Lacey Russell

Figura 5.1 Ejemplo de una carta para solicitar información.

INVESTIGACIÓN SECUNDARIA

La **investigación secundaria** es la información o los datos recabados por alguien más. Este tipo de información la encuentras en fuentes escritas (libros, revistas y periódicos) y en fuentes electrónicas (enciclopedias en CD-ROM, paquetes de software y servicios en línea, como Internet). Cuando uses una fuente secundaria, asegúrate de anotar dónde obtuviste la información para futura referencia. Para documentar la bibliografía de tu reporte o para avalar los créditos de las citas o ilustraciones que uses, necesitarás la siguiente información bibliográfica.

Libro

Nombre del autor, título del libro, lugar de publicación, editorial, fecha de la publicación y páginas leídas o citadas.

Revista

Nombre del autor, título del artículo, nombre de la revista, número de volumen, fecha de publicación y números de las páginas del artículo.

Periódico

Nombre del autor, título del artículo, nombre del periódico, fecha de publicación, sección y números de las páginas.

Enciclopedias

Título del artículo, nombre de la enciclopedia, número de volumen, lugar de publicación, editorial, año de publicación y números de las páginas del artículo.

Enciclopedias en CD-ROM
o paquetes de software

Nombre del programa, número de versión, nombre del proveedor y lugar donde se localiza.

Documentos de servicios en línea

Autor del documento (si se conoce), título del documento, nombre de la organización que emitió el documento, lugar donde se localiza la organización, datos consignados en el documento, dirección electrónica o postal donde se encuentra disponible el documento.

UTILIZA TU INVESTIGACIÓN

Ahora estás listo para utilizar la información de la investigación del proyecto y los datos recabados para plantear el problema, proponer una hipótesis y diseñar y realizar uno o más experimentos. La investigación del proyecto es una parte importante para cuando escribas el informe. Los capítulos 6 al 9 te guían paso por paso a través de un proyecto de muestra, desde el principio hasta el final. Si los lees más de una vez y los consultas a medida que avances en tu proyecto, ¡estarás asegurando una gran parte del éxito en la feria de ciencias!

Capítulo 6

Un proyecto de muestra

Elige un tema. Las 50 ideas para proyectos de la Parte II empiezan con un experimento de exploración detallado. Lee uno o todos estos sencillos experimentos para que encuentres cuál es el tema que te gusta más y del que quieres saber más. Independientemente del tema que elijas para la feria de ciencias, lo que descubras mientras trabajas en cualquiera de estos experimentos aumentará tus conocimientos sobre las ciencias.

¿Cómo puedes convertir en tu propio proyecto una de las ideas expuestas en este libro?

En este capítulo se utiliza una idea para un proyecto con un formato similar al que tienen los proyectos de la Parte II. Este experimento de exploración detallado se identifica como experimento muestra y tiene varios propósitos. Como todos los experimentos de exploración, su objetivo principal es proporcionar datos de investigación sobre los cuales basar una hipótesis. Pero en este capítulo se utiliza también como modelo para un experimento del proyecto. Durante la fase de experimentación, puedes emplear las siguientes técnicas para recabar datos y otras ideas para diseñar, desarrollar y afinar tu proyecto.

BITÁCORA DEL PROYECTO

Para todos los pasos dados en el camino, te resultará de gran utilidad llevar una bitácora o diario donde registrarás el avance del proyecto. Una vez que hayas terminado la experimentación, este diario te será muy útil para escribir el informe del proyecto. El capítulo 7 explica cómo escribir un informe.

TÍTULO Y PREGUNTA DEL PROBLEMA

El título y la pregunta del problema del experimento muestra (ver la figura 6.1) pueden no ser adecuados para tu proyecto. Pero como sabrás mucho más después de hacer el experimento muestra y efectuar otras investigaciones, es preferible esperar antes de decidir el título y la pregunta del problema.

Más Calor

PROBLEMA

¿Qué se calienta más rápido, el agua o la tierra?

***Figura 6.1** Título y problema del experimento muestra.*

MATERIALES

Como se puede ver en la figura 6.2, todos los materiales del experimento muestra, lo mismo que los materiales para los otros experimentos de este libro, se tienen generalmente en el hogar o se pueden comprar con poco dinero en la tienda o en la tlapalería. Reúne

Materiales

- cuchillo (sólo deberá usarlo un adulto)
- caja pequeña de 25 centímetros (10 pulg) de lado, mínimo
- dos vasos desechables de 270 mililitros (9 onzas)
- tierra de color claro
- agua de la llave
- dos termómetros
- regla
- cinta adhesiva (*masking tape*)
- papel
- lápiz
- cronómetro
- lámpara de escritorio
- ayudante adulto

***Figura 6.2** Lista de materiales para el experimento muestra.*

todos los materiales antes de iniciar el experimento; tendrás menos frustraciones y más diversión si cuentas con todos los materiales antes de empezar. Lo mejor es no sustituir materiales, pero si alguno de ellos no está disponible, consulta a un adulto antes de usar un material diferente.

Observa que todas las ideas para proyectos de la Parte II contienen más de un experimento de exploración. La lista de "Materiales" al principio de cada proyecto solamente incluye los materiales para el primer experimento. Por esta razón, lee el proyecto completo antes de empezar, para que determines qué materiales necesitarás en cada experimento.

PROCEDIMIENTO

La sección donde se describe el procedimiento del experimento muestra contiene todos los pasos necesarios para completarlo. Como se describió en el capítulo 2, una variable es cualquier cosa que tiene un efecto sobre el experimento. En el experimento muestra se prueban el agua y la tierra para ver cuál de las dos superficies se calienta más rápido. El tipo de superficie que se está probando es la variable independiente, o manipulada. Cada superficie absorbe una cierta cantidad de calor de la lámpara. El cambio resultante de la temperatura de cada superficie es la variable dependiente, o de respuesta. Las demás variables, como la cantidad de luz que reciben las superficies, la cantidad de agua y tierra que se prueban, los recipientes para los materiales de prueba y, en general, el ambiente total alrededor de cada recipiente (temperatura ambiente, humedad, etc.), son las variables controladas, o constantes. ***Nota***: para facilitarte el trabajo, todas las medidas se dan en el Sistema Internacional y en unidades inglesas, con una conversión aproximada; así no tendrás dificultad en aplicarlas en la práctica.

PROCEDIMIENTO

1. Pide a un adulto que corte la parte superior de la caja y uno de los lados.
2. Llena uno de los vasos con tierra y el otro con agua.
3. Coloca los vasos juntos en la parte posterior de la caja.
4. Coloca un termómetro en cada vaso. El bulbo de ambos termómetros deberá quedar un poco más de medio centímetro (1/4 de pulg) por abajo de la superficie del agua y de la tierra que contiene cada vaso.
5. Pon un poco de cinta adhesiva en el extremo superior de cada termómetro para que puedas fijarlos en la caja, a la altura requerida.
6. Prepara una tabla para registrar los resultados del experimento.
7. Transcurridos al menos 5 minutos de que los termómetros hayan estado en los vasos, anota la temperatura de cada material. Estos datos son las temperaturas iniciales.
8. Coloca la caja abajo de la lámpara de tal modo que el foco quede a unos 25 centímetros (10 pulg) de la porte superior de los vasos y centrado entre los mismos. Asegúrate de que el foco no toque la caja.
9. Después de 10 minutos, apaga la lámpara y anota inmediatamente la temperatura de cada vaso. Éstas son las temperaturas finales.
10. Calcula y anota los cambios entre las temperaturas iniciales y las finales.

Figura 6.3 Procedimiento del experimento muestra.

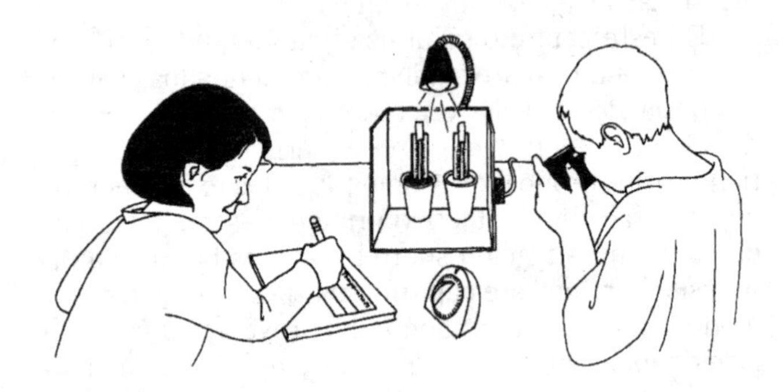

Figura 6.4 Colocación de los elementos del procedimiento.

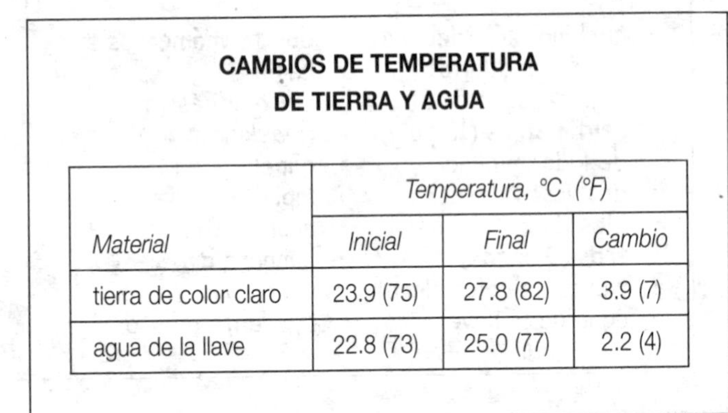

CAMBIOS DE TEMPERATURA
DE TIERRA Y AGUA

Material	Temperatura, °C (°F)		
	Inicial	Final	Cambio
tierra de color claro	23.9 (75)	27.8 (82)	3.9 (7)
agua de la llave	22.8 (73)	25.0 (77)	2.2 (4)

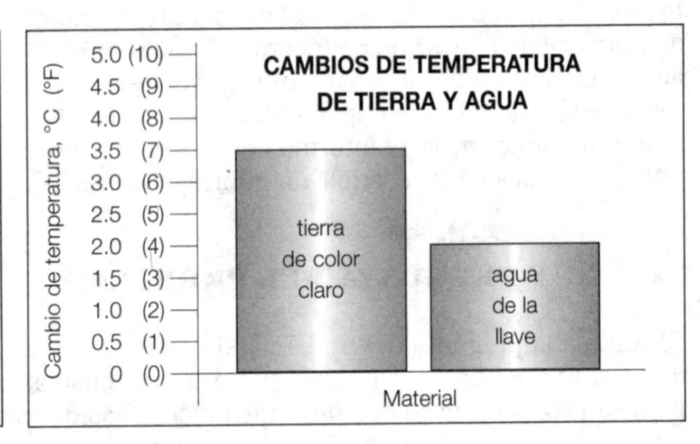

Figura 6.5 Tabla y gráfica de barras del experimento muestra.

TEMPERATURA DE LA SUPERFICIE DEL SUELO (Luz directa)

Tiempo (min)	*Temperatura, °C (°F)*
0	25.0 (77)
5	28.3 (83)
10	27.8 (82)
15	28.9 (84)
20	28.9 (84)
25	29.4 (85)
30	30.0 (86)

Figura 6.6 Ejemplo de una tabla.

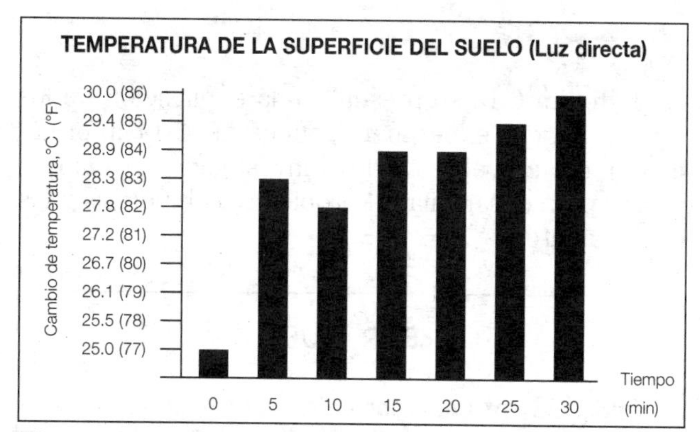

Figura 6.7 Ejemplo de una gráfica de barras.

Recuerda, este experimento muestra es parte de tu investigación del proyecto. Es buena idea que alguien te tome una fotografía realizando el experimento, como en la figura 6.4, o toma fotografías de la colocación de los elementos del procedimiento para usarlas como parte del módulo de exhibición del proyecto. Utiliza como guía el formato del procedimiento de la figura 6.3 para diseñar tu propio experimento.

RESULTADOS

Antes de que puedas enunciar los resultados de un experimento, debes organizar primero todos los datos recabados durante esta fase. Los números, llamados "datos brutos", no significan nada a menos que los organices y los rotules. Por esta razón, es necesario que los datos de cada experimento los anotes de manera ordenada en tu bitácora. Utiliza una **tabla** (un diagrama en el que con palabras y números en columnas y renglones se representan datos) para registrar esta información. Una **gráfica**, como la de la fi-

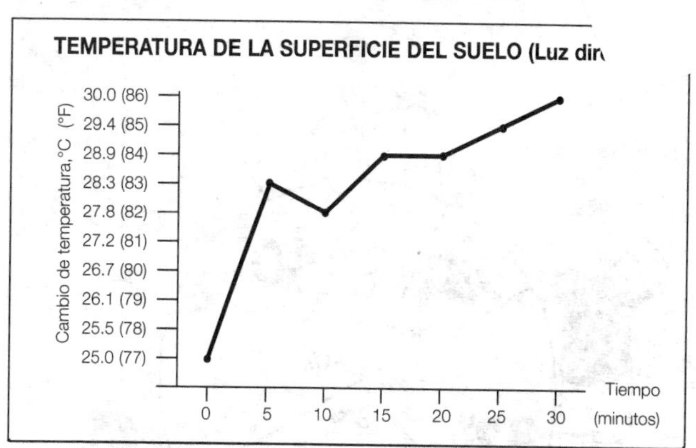

Figura 6.8 Ejemplo de una gráfica de líneas.

gura 6.5, es muy práctica para **analizar** (separar y examinar) los datos. Se usa una **gráfica de barras** (un diagrama en el que se usan barras) para este propósito.

Las figuras 6.6, 6.7 y 6.8 son ejemplos de las tres formas diferentes de expresar los mismos datos de la temperatura de la superficie del suelo. La figura 6.6 corresponde a una tabla, la figura 6.7 es una gráfica de barras, y en la figura 6.8 se presenta una **gráfica de líneas** (un diagrama en el que se usan líneas para expresar los patrones de cambio).

Hay otras formas útiles de representar datos. Una **gráfica circular**, o **gráfica de pastel**, es un **diagrama** que muestra información en porcentajes. Entre más grande sea la sección del círculo, mayor será el porcentaje que representa. El círculo completo representa el 100 por ciento, o la cantidad total. Por ejemplo, puede usarse una gráfica de pastel para representar los resultados de un experimento para medir las temperaturas de la superficie del suelo en junio. Para hacer una gráfica de pastel, se registra primero en una tabla el número y el porcentaje de días que tienen cada temperatura promedio diaria, como se muestra en la figura 6.9. Después se expresan los mismos datos como porcentajes en una gráfica de pastel, como se muestra en la figura 6.10. Las ilustraciones de niños alrededor del círculo hacen más interesante la presentación de los datos.

TEMPERATURAS DE LA SUPERFICIE DEL SUELO EN JUNIO

Temperatura promedio diaria, °C (°F)	*Número de días*	*Porcentaje de días*
32.2 (90)	12	40%
32.8 (91)	9	30%
33.3 (92)	6	20%
33.9 (93)	3	10%

Figura 6.9 Tabla de temperaturas de la superficie del suelo.

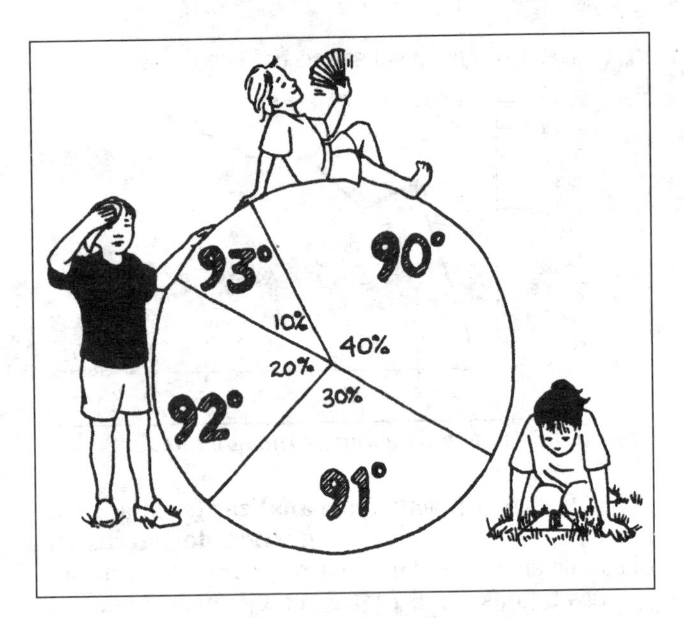

***Figura 6.10** Gráfica de pastel de las temperaturas de la superficie del suelo.*

VELOCIDAD DEL VIENTO (1 JUN - 3 JUN)

Fecha		Cada ⚐ = 1km/h
1 jun	Día	⚐ ⚐ ⚐ ⚐
	Noche	⚐ ⚐ ⚐
2 jun	Día	⚐ ⚐ ⚐ ⚐ ⚐
	Noche	⚐ ⚐ ⚐ ⚐
3 jun	Día	⚐ ⚐ ⚐ ⚐
	Noche	⚐ ⚐ ⚐ ⚐

***Figura 6.11** Ejemplo de pictográfica.*

RESULTADOS

Después de 10 minutos bajo la lámpara, la temperatura del suelo cambió 3.9°C (7°F) y la temperatura del agua cambió 2.2°C (4°F).

***Figura 6.12** Resultados del experimento muestra.*

Se puede preparar una pictográfica para representar los resultados de un experimento para medir las velocidades del viento. Una **pictográfica** es un diagrama que contiene símbolos que representan datos, tales como cantidades de un objeto. En la pictográfica que se muestra en la figura 6.11, cada bandera representa una velocidad del viento de 1 kilómetro por hora. Las pictográficas son fáciles de leer y agregan un poco de diversión a la presentación de los datos.

Los datos de la figura 6.5 expresan los cambios en la temperatura del suelo y del agua obtenidos en este experimento, como se muestra en la figura 6.12.

¿POR QUÉ?

En la figura 6.13 se presenta una explicación de los resultados del experimento muestra. Esta información, junto con el resto de la investigación, es la que usarás para desarrollar el problema, la hipótesis y los experimentos.

¿POR QUÉ?

Calor. Se entiende por calor la energía total de todas las partículas de un objeto. Cuando se le agrega al objeto la energía calorífica de la luz, su energía total se incrementa. Si bien la adición de calor hace que aumente la temperatura del objeto, la misma cantidad de calor no produce el mismo cambio en la temperatura de todas las sustancias. A la cantidad de calor necesaria para elevar 1°C la temperatura de 1 gramo de una sustancia se le llama **calor específico** (en el sistema inglés: elevar 1°F la temperatura de 1 libra de sustancia).

Aun cuando se agrega la misma cantidad de calor a ambos vasos, el cambio en la temperatura no es igual en los dos materiales. El agua no se calienta tan rápido como lo hace la tierra; por tanto, el agua tiene un calor específico mayor que la tierra.

***Figura 6.13** "¿Por qué?" del experimento muestra.*

PREPARACIÓN DEL CAMPO

Sin dejar de lado que se trata de una actividad científica, tu proyecto para la feria de ciencias puedes manejarlo como un juego. Un juego muy sencillo: ganas puntos y conquistas la unidad cuando terminas con todas sus secciones. Cada sección se describe a continuación.

¡EMPIEZA EL JUEGO!

Es en este punto donde empiezas a plantear diferentes preguntas de exploración como punto de partida para más ideas de investigación. Por ejemplo, "¿Se enfriará más rápido el suelo que el agua?", o "¿Afectará el color del suelo la rapidez con que cambia su temperatura?" ¡Vaya! Esta última pregunta sí que es buena. Encontrarás que entre más pienses sobre el experimento muestra, podrás plantear un mayor número de preguntas de exploración y que cada vez las preguntas serán mejores. En la figura 6.14 se presentan preguntas de exploración y la forma de encontrar las respuestas cambiando el experimento muestra. Puedes realizar los experimentos de esta sección y las siguientes para agregar los datos a la información de la investigación. Otro uso que puedes darles es como ayuda para diseñar tus experimentos del proyecto. Antes de empezar con los experimentos, lee primero las descripciones de las secciones siguientes.

¡EMPIEZA EL JUEGO!

1. ¿Se enfrían los dos materiales con la misma rapidez? Repite el experimento, pero anotando como temperatura inicial de cada vaso las temperaturas tomadas inmediatamente después de apagar la lámpara. Transcurridos 10 minutos después de que la lámpara haya estado apagada, anota las temperaturas de cada vaso como las temperaturas finales. Calcula el cambio de la temperatura en cada material.
2. ¿Afecta el color del suelo la cantidad de calor que se necesita para cambiar su temperatura? Repite el experimento original con tierra de diferentes colores. Si puedes, recoge muestras de suelos de diferentes sitios durante las vacaciones; también, puedes pedir a tus amigos que te envíen muestras de suelo. Utiliza tierra roja, negra y de otros colores.

***Figura 6.14** Sección "¡Empieza el juego!" del experimento muestra.*

¡TE TOCA TIRAR!

Esta sección se describe en la figura 6.15 y presenta dos ideas relacionadas con el experimento muestra. Ofrece diferentes ideas experimentales para hacer investigaciones adicionales sobre el tema, así como más ideas para que diseñes tus propios experimentos (asegúrate de obtener la aprobación de un adulto si usas materiales o procedimientos diferentes a los descritos). Como ya se mencionó, estos experimentos pueden servirte como investigación del proyecto o para darte ideas para diseñar los experimentos correspondientes.

¡TE TOCA TIRAR!

1. ¿Varía la temperatura del aire que está sobre los materiales cuando estos últimos se calientan? Llena a la mitad dos vasos de papel de 270 mililitros (9 onzas), uno con agua y el otro con tierra de color oscuro. Coloca los vasos en la caja abierta. Sostén un termómetro en cada vaso de tal modo que el bulbo quede justo encima de la superficie del material y fíjalo a la caja con cinta adhesiva. Después de 5 minutos, anota la temperatura del aire. Retira los termómetros y calienta los vasos bajo una lámpara durante 10 minutos como en el experimento original. Coloca un termómetro en cada vaso como antes; luego, registra la temperatura del aire arriba de los materiales calentados.
2. ¿Afectan las estructuras la temperatura de la superficie de la Tierra? Toma la lectura de dos termómetros y anota las temperaturas. Coloca uno de los termómetros en el suelo (sobre pasto o en la tierra) bajo la sombra de un árbol, edificio o cualquier otra estructura grande. Coloca el segundo termómetro en el mismo tipo de superficie, pero bajo los rayos del sol. Registra las temperaturas en ambos termómetros cada 5 minutos durante 30 minutos. Usa gráficas para presentar los resultados.

***Figura 6.15** Sección "¡Te toca tirar!" del experimento muestra.*

¡SIGUES TIRANDO!

Cuando llegas a este punto, te encuentras listo para realizar una investigación profunda del tema. Las preguntas que se plantean aquí (ver la figura 6.16) requieren de investigación secundaria. Un buen sitio para empezar esta investigación es la biblioteca. Los libros de ciencias de la Tierra tienen secciones sobre el clima, la temperatura del aire y la generación de vientos. También los libros de experimentos científicos son una buena fuente de información, con la ventaja de que incluyen experimentos que pueden usarse.

En estas fuentes descubrirás que el aire caliente se eleva y el aire frío desciende, y que el viento va de las áreas más frías a las que tienen una temperatura más elevada. ¡Vaya! Igual que en la playa; la brisa sopla hacia tierra firme durante el día y hacia el mar en la noche. Ésta es una experiencia de la vida real que estás usando como ayuda en tu proyecto. Es bueno que recurras a tus experiencias personales no sólo cuando busques un tema, sino durante la investigación de tu proyecto.

> **¡SIGUES TIRANDO!**
>
> La diferencia en el calor específico de la tierra firme y del agua ocasiona que sus temperaturas superficiales no sean las mismas. Averigua la manera en que las diferentes temperaturas superficiales afectan el clima. ¿Cómo afecta la temperatura de la superficie la temperatura del aire? ¿Qué efecto tiene la temperatura del aire sobre la generación de los vientos?

Figura 6.16 ***Sección "¡Sigues tirando!" del experimento muestra.***

PROBLEMA E HIPÓTESIS

Después de reunir y analizar la investigación de tu proyecto, es tiempo de enfocarse en el problema. Digamos que decidiste investigar el efecto de la temperatura de la superficie en la dirección del viento. Ten en cuenta que no es necesario que la pregunta sea complicada y larga para que sea buena. Hazla tan corta y directa como sea posible. Observa estos dos ejemplos:

1. ¿Qué efecto tiene en la dirección del viento el cambio en la temperatura del agua y de la arena de la playa?
2. ¿La diferencia en el cambio de la temperatura de la arena y el agua ocasiona que el aire sobre estas superficies se mueva con velocidades diferentes? De ser así, ¿cómo afecta esa diferencia la generación de las brisas marinas y las de tierra firme?

Los dos ejemplos persiguen el mismo objetivo: descubrir la manera en que se producen las brisas del mar y de tierra firme, pero el primer ejemplo es conciso y de lectura rápida. Ten siempre presente que tu proyecto será evaluado en la feria de ciencias y que si cada miembro del jurado comprende de inmediato el propósito de tu proyecto, ¡tu calificación será la mejor!

Con el problema enunciado, es tiempo de formular la hipótesis. La hipótesis podría ser: "Pienso que hay una diferencia en la rapidez con que cambia la temperatura de la arena y el agua, cuyo resultado es el cambio de la dirección del viento en la playa." Esta hipótesis se basa en los siguientes hechos:

- En mi experimento de exploración, el agua tardó más en calentarse que el suelo durante el mismo periodo de tiempo.
- Las superficies del agua y de la tierra firme tienen diferentes calores específicos, por lo que la ganancia o pérdida de calor para cambiar la temperatura del agua tiene que ser mayor que la correspondiente a la superficie de la tierra firme.
- Los vientos se desplazan de las áreas frías a las calientes.

AHORA VAS TÚ SOLO

Prueba tu hipótesis cambiando la tierra por arena en los experimentos de exploración. Diseña nuevos experimentos que prueben los cambios de la temperatura de las superficies y del aire que está sobre ellas. Pero también necesitarás un experimento que relacione la temperatura de la superficie con la dirección del viento. ¡Piensa! ¿Qué se mueve con el viento? ¡Las banderas y el humo! Podrías probar el movimiento del aire con materiales ligeros o con humo, bajo la supervisión de un adulto. Una vez que hayas diseñado uno o más experimentos, recaba los datos, elabora tablas y gráficas, traza diagramas y toma fotografías para mostrar los resultados.

RESULTADOS INESPERADOS

¿Qué hacer si los resultados no son los que esperabas? Primero, si hay tiempo, repite el experimento y asegúrate de hacer todo correctamente. Si ya no hay tiempo, o si obtienes de nuevo resultados inesperados, *no* pierdas la cabeza. En el mundo de la ciencia es frecuente que la hipótesis no sea respaldada por los experimentos. En este caso, plantea tu hipótesis, pero di con toda honestidad que aun cuando la investigación respaldaba tu hipótesis, los resultados experimentales no lo hicieron. Señala lo que esperabas y lo que en realidad ocurrió. Informa todo —si algo apoyó la hipótesis, identifícalo—. Continúa dando razones por las que pienses que los resultados no respaldaron tus planteamientos originales. Por ejemplo, si piensas que los materiales se movieron durante el experimento:

Señala: "Existe la posibilidad de que la lámpara no estuviera centrada todo el tiempo entre los materiales. De ser así, esto habría ocasionado que los materiales no recibieran la misma cantidad de luz. Este problema puede eliminarse si se fijan los materiales en la mesa para que no se muevan accidentalmente durante el experimento."

No digas: "Mi hermanito chocó con la caja y la movió. Necesito cerrar con llave mi cuarto para que no se meta con mis cosas."

Llega ahora el tiempo de resumir el proyecto completo escribiendo un informe detallado. En el capítulo siguiente encontrarás pautas generales sobre cómo integrar el informe de un proyecto para la feria de ciencias.

Capítulo 7

Informe del proyecto

Tu informe es el registro escrito del proyecto, desde el principio hasta el final. Deberá tener la suficiente claridad y detalle para que cuando lo lea una persona que no esté familiarizada con tu proyecto, sepa exactamente qué hiciste, por qué lo hiciste, cuáles fueron los resultados, si la evidencia experimental respaldó o no tu hipótesis y dónde obtuviste la información de tu investigación. Este escrito es tu portavoz cuando no estás presente para explicar tu proyecto, pero más que eso, documenta todo tu trabajo.

Una buena parte del informe la copiarás de tu bitácora. Registrar todo en tu bitácora a medida que avanza el proyecto, hace que lo único que se necesita para elaborar el informe sea organizar y copiar el contenido de la bitácora con claridad y precisión. Es posible elaborar las tablas, gráficas y diagramas con elegancia y color. De ser posible, utiliza una computadora para preparar la presentación de parte o la totalidad de los datos.

Verifica con tu profesor el orden y el contenido del informe según lo haya determinado la feria local. Por lo general, el informe de un proyecto debe estar mecanografiado a doble espacio y encuadernado en una carpeta. Deberá contener el título, la tabla de contenido, la síntesis, la introducción, los experimentos y los datos, la conclusión, la lista de fuentes y los reconocimientos. En el resto de este capítulo se describen estas partes del informe de un proyecto y se presentan ejemplos basados en el proyecto muestra del capítulo 6.

LA PORTADILLA

El contenido de la portadilla (la página donde va el título) varía. En algunas ferias se pide que sólo aparezca el título del proyecto centrado en la página. Normalmente, tu nombre no está en esta página durante la evaluación; tu profesor puede darte las reglas de la feria referentes a este punto. El título debe llamar la atención, capturar el tema del proyecto, pero sin ser igual a la pregunta del problema. En la figura 7.1 se muestra un buen título para el proyecto de muestra que se detalla en el capítulo 6.

> **"Va y viene: El viento en la playa"**

Figura 7.1 La portadilla.

TABLA DE CONTENIDO

La segunda página de tu informe es la tabla de contenido. Es en sí una lista de todo lo que forma parte del informe. Va después de la portadilla, como se muestra en la figura 7.2.

> **Contenido**
>
> 1. Síntesis
> 2. Introducción
> 3. Experimentos y datos
> 4. Conclusión
> 5. Fuentes
> 6. Reconocimientos

Figura 7.2 Una tabla de contenido.

SÍNTESIS

La síntesis es un panorama general del proyecto. No debe ocupar más de una página y deberá incluir el título del proyecto, la explicación del propósito, la hipótesis, una breve descripción del procedimiento y los resultados. No existe una manera única de escribir una síntesis, pero deberá ser breve, como se muestra en la figura 7.3. Algunas veces es necesario entregar una copia de la síntesis a los responsables de la feria de ciencias el día de la evaluación; y es una buena idea tener varias copias a la mano en el módulo de exhibición. Con esto se proporciona al jurado un punto de referencia para cuando tome las decisiones finales. Otro posible uso sería por parte de un patrocinador de premios especiales para preparar una introducción, así es que haz un trabajo concienzudo en esta parte de tu informe.

1. Síntesis

Va y viene: El viento en la playa

El objetivo del presente proyecto fue averiguar si el cambio de la temperatura de la arena y el agua afecta la dirección del viento en la playa. Los experimentos incluyeron la medición de la rapidez con que cambió la temperatura de la arena y del agua cuando se calentaban y la rapidez con que descendía su temperatura cuando se dejaban enfriar. Esto se hizo registrando la temperatura de muestras de arena y agua antes y después de calentarlas durante 10 minutos con una lámpara de escritorio. Después de apagar la lámpara y transcurridos 10 minutos, se registró de nuevo la temperatura de cada material.

Otros experimentos incluyeron la medición de la temperatura del aire sobre las muestras calentadas de arena y agua así como el uso de humo para observar la dirección del aire. Las mediciones de la temperatura confirmaron mi hipótesis de que hay una diferencia en la rapidez con que cambia la temperatura de la arena y el agua, que da como resultado un cambio en la dirección del viento en la playa. Estos descubrimientos me llevaron a pensar que las brisas del mar y de tierra firme son el resultado de la diferencia en el tiempo que requieren la arena y el agua para cambiar de temperatura.

Figura 7.3 Una síntesis.

INTRODUCCIÓN

La introducción es la explicación del propósito, junto con los antecedentes que te llevaron a realizar este estudio. Deberá contener un planteamiento breve de la hipótesis basada en tus investigaciones. En otras palabras, deberá señalar la información, o los conocimientos que ya tenías y que te llevaron a suponer la respuesta de la pregunta del problema del proyecto. Haz referencia a la información o experiencias que te llevaron a elegir el objetivo del proyecto. Si el profesor te pide notas de pie de página, entonces incluye una para cada fuente de información que hayas usado. En la introducción que se muestra en la figura 7.4 no se utilizan notas de pie de página.

2. Introducción

La dirección del viento cambia en tierra firme, pero con frecuencia es la misma en periodos de 24 horas e incluso puede ser la misma durante varios días. Esto no sucede donde se juntan cuerpos grandes de agua y tierra firme. En estas áreas, la dirección del viento cambia diariamente en un lapso corto después de la puesta del sol y de nuevo poco después del amanecer.

Mientras leía acerca del calentamiento y el enfriamiento del agua y la tierra firme, me acordé de mi experiencia del cambio de la dirección del viento durante el día y la noche cuando estuve en la playa. Las investigaciones que hice adicionalmente revelaron el hecho de que el viento es el movimiento horizontal del aire y que éste se desplaza de las áreas frías a las calientes. Cuando estuve en la playa, el viento soplaba hacia la costa durante el día y hacia el mar por la noche. Esto quería decir que la tierra firme estaba más caliente que el agua durante el día, pero que el agua estaba más caliente que la tierra firme por la noche. Razoné que la rapidez con la que el agua y la tierra firme cambian de temperatura debe ser diferente.

Mi curiosidad por estas brisas de tierra firme y del mar dio como resultado un proyecto que tuvo como objetivo descubrir de qué manera el cambio de temperatura de la arena y el agua genera las brisas del mar y de tierra firme. Con base en el hecho de que la dirección del viento es resultado de una diferencia en la temperatura, mi hipótesis fue que la diferencia en la rapidez con que cambia la temperatura de la arena y del agua resulta en un cambio en la dirección del viento en la playa.

Figura 7.4 Una introducción.

EXPERIMENTOS Y DATOS

Los experimentos del proyecto deberán aparecer en una lista en la sección correspondiente del informe. La descripción deberá incluir el problema del experimento, seguido primero por la lista de los materiales empleados y la cantidad de cada uno de ellos, después por los pasos del procedimiento en forma de croquis o de párrafo, como se muestra en la figura 7.5. Observa que el experimento descrito en esta figura investiga la pregunta de exploración: "¿Cómo varía la temperatura de la tierra firme con y sin sombra?" Los experimentos deberán escribirse de tal modo que cualquier persona pueda seguirlos y llegar a los mismos resultados. Después de cada experimento, incluye todas las mediciones y observaciones que hayas hecho. Debes rotular las gráficas, tablas y diagramas elaborados a partir de tus datos; de ser posible, hazlas a color. En la figura 7.6 se muestra una tabla y en la figura 7.7 una gráfica de líneas para el experimento presentado en la figura 7.5. Si reuniste una gran cantidad de datos, puedes poner la mayoría de ellos en un apéndice y encuadernarlo por separado. Si separas el material, deberás incluir un resumen de los datos en la sección correspondiente del informe.

3. Experimentos y datos

Objetivo

Determinar si las estructuras de la costa afectan la temperatura de la arena.

Materiales

2 termómetros de bulbo
2 vasos desechables con arena
cronómetro

Procedimiento

1. Colocar un termómetro en cada vaso de tal modo que el bulbo quede medio centímetro abajo de la superficie de la arena.
2. Poner uno de los vasos bajo la sombra de un árbol, edificio u otra estructura grande.
3. Poner el segundo vaso en un área que reciba la luz directa del sol por 6 horas seguidas, mínimo.
4. Tomar la lectura de ambos termómetros. Registrar las temperaturas en la sección "0 horas" de la tabla de datos.
5. Registrar las temperaturas de ambos termómetros cada hora durante 6 horas.

Figura 7.5 Un experimento.

Temperatura °C (°F)

Tiempo (horas)	*Con sombra*	*Sin sombra*
0	23.9 — (75)	23.9 — (75)
1	26.7 — (80)	32.8 — (91)
2	29.4 — (85)	35.0 — (95)
3	26.7 — (80)	32.2 — (90)
4	27.8 — (82)	33.3 — (92)
5	29.4 — (85)	35.0 — (95)
6	29.4 — (85)	35.0 — (95)

Figura 7.6 Una tabla.

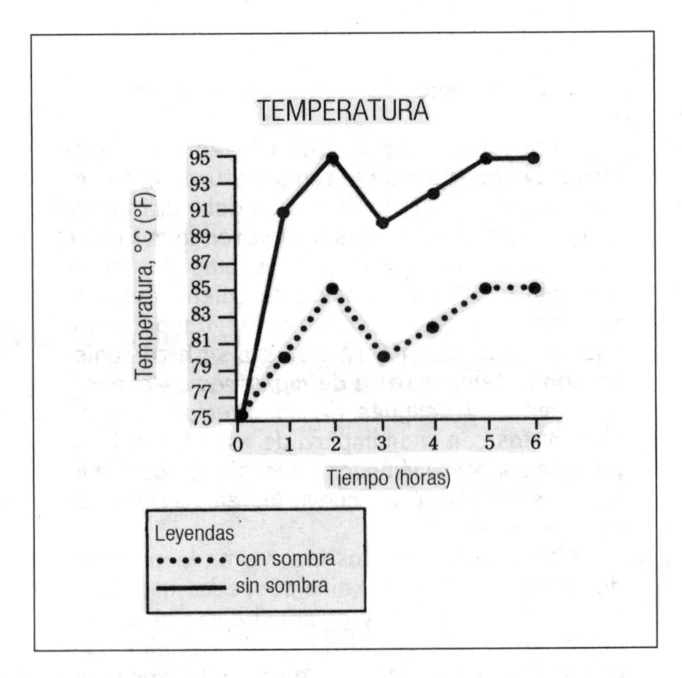

Figura 7.7 Una gráfica de líneas.

CONCLUSIÓN

En la conclusión describes, en una página o menos, lo que descubriste con base en los resultados experimentales, como se muestra en la figura 7.8. La conclusión enuncia la hipótesis e indica si los datos la respaldaron o no. También puede incluir una breve descripción de planes de ideas de exploración para experimentos futuros.

4. CONCLUSIÓN

Como lo establecí en mi hipótesis, pienso que existe una diferencia en la rapidez con que cambia la temperatura de la arena y el agua; este cambio afecta la dirección del viento en la playa. Los datos experimentales apoyaron mi hipótesis. En efecto, la temperatura de la arena cambia más rápido que la temperatura del agua; el aire sobre ellas cambia siguiendo el mismo patrón. Los datos experimentales confirmaron el desplazamiento del viento de las áreas frías a las más calientes.

En el curso de mi experimento descubrí que las estructuras grandes proyectan su sombra sobre la tierra firme y ocasionan que dichas áreas estén más frías durante el día. Entre las ideas para experimentos futuros estaría probar la temperatura de la tierra firme y del agua en la playa, midiendo la velocidad de los movimientos del aire debidos a los cambios de la temperatura, y comprobar si las estructuras en la tierra firme tienen algún efecto sobre este movimiento.

Figura 7.8 Conclusión de un proyecto.

5. Fuente entrevistada

Dunham, Sue
Meteoróloga
215 Palm Drive
Kona, Hawaii 00008
(0003) 843-0000

Figura 7.9 Una fuente de entrevista.

FUENTES

Las fuentes indican dónde obtuviste la información, incluyendo todos los materiales impresos así como las personas que hayas entrevistado. Para los materiales impresos, prepara una bibliografía. En la sección "Investigación secundaria" del capítulo 5 está la información acerca de las bibliografías. Las personas que hayas entrevistado deberán aparecer en lista por separado; prepara esta lista en orden alfabético por el primer apellido. También incluye su profesión o cargo, dirección de su oficina y número telefónico, como se muestra en la figura 7.9. No anotes direcciones o números telefónicos particulares.

RECONOCIMIENTOS

Aun cuando técnicamente tu proyecto debe de ser un trabajo personal, se permite contar con cierta ayuda. Los reconocimientos no son una lista de nombres, sino un párrafo breve donde se citan los nombres de las personas que te auxiliaron y en qué forma lo hicieron, como se muestra en la figura 7.10. Observa que cuando se citan familiares, no es necesario citar sus nombres

6. Reconocimientos

Quisiera agradecer a los miembros de mi familia que me ayudaron en este proyecto: a mi madre, quien corrigió el original y mecanografió el informe, así como a mi padre y a mi hermano, quienes me ayudaron en la construcción del bastidor del módulo de exhibición.

Figura 7.10 Reconocimientos.

Capítulo 8

Módulo de exhibición

Tu módulo de exhibición en la feria de ciencias representa todo el trabajo que has realizado. Se integra con un bastidor, el informe del proyecto y todo lo que represente a tu proyecto, como los modelos fabricados, los puntos investigados, fotografías, estudios, etc. Debe contar la historia del proyecto de tal modo que atraiga y conserve el interés del espectador. Tiene que ser completo, sin que quede amontonado, así que lo mejor es un módulo lo más sencillo posible.

El tamaño y la forma que finalmente tenga el módulo o panel que presentes pueden variar, dependiendo de las reglas establecidas por los organizadores de la feria de ciencias; procura obtener con anticipación los datos correspondientes. Casi siempre los exhibidores miden 120 cm de ancho, 75 cm de profundidad y 275 cm de alto (48 pulgadas × 30 pulgadas × 108 pulgadas). Éstas son las dimensiones máximas; tu exposición puede ser más pequeña. Una manera práctica de presentar tu trabajo es mediante un tríptico. Se puede formar el tríptico con cartón rígido, pero resulta mejor trabajar con material más resistente, con la ventaja de que no sufrirá posibles daños durante el transporte. Puedes cortar hojas de madera y ponerles bisagras; en algunas tiendas de material escolar o de oficina venden módulos de exhibición; si no están disponibles en donde vives, puedes encontrarlos en otras localidades.

El título y los encabezados deben tener un tamaño que permita leerlos a 1 metro (3 pies) de distancia, aproximadamente. Un título corto por lo general llama la atención. Procura que el título tenga de seis a diez palabras y un máximo de 50 caracteres. Puedes comprar y pegar en el bastidor letras precortadas para el título y los encabezados o puedes recortar tus propias letras de cartoncillo. También puedes estarcir las letras de todos los títulos directamente en el bastidor. Otra opción es comprar letras autoadheribles de varios tamaños y colores. Incluso puedes usar un procesador de textos para imprimir el título y otros encabezados.

En algunos casos los maestros tienen preferencia en cuanto a la forma de acomodar la información. Los siguientes encabezados sirven de ejemplo: Problema, Hipótesis, Procedimiento, Datos, Resultados y Conclusión. El título del proyecto debe ir en la parte superior del panel central y el material restante colocado de la manera más ordenada. En la figura 8.1 se muestra una forma de colocar el material. El encabezado "Para la próxima vez", no siempre se pide, aun cuando puede incluirse si se desea. Va después de la conclusión y contiene una breve descrip-

***Figura 8.1** Ejemplo de un buen módulo de exhibición.*

ción de planes para el desarrollo futuro del proyecto. Esta información puede ir en la conclusión, en lugar de ponerla en un encabezado separado.

Para que tu módulo de exhibición impresione positivamente al jurado, acomoda el material de varias maneras antes de que empieces a pegarlo. Coloca el bastidor en una superficie plana y mueve el material hasta que encuentres una distribución que te deje satisfecho. De esta manera podrás decidir cuál es la presentación más adecuada y atractiva. En la figura 8.1 se muestra lo que se considera un buen módulo de exhibición.

SUGERENCIAS ÚTILES

1. Antes de parar el bastidor, cubre la mesa del módulo de exhibición con una tela. Elige un color que haga juego con el bastidor. Esto ayudará a que tu proyecto se distinga de los que se exhiben a los lados.
2. Pega todo el material mecanografiado en un fondo de color, como cartulina. Deja un margen de .50 a 1.25 cm (1/4 a 1/2 pulg) alrededor de los bordes de cada hoja de material mecanografiado. Utiliza, con extremo cuidado, un cortador de navajas desechables (*cutter*) para que los bordes queden rectos.
3. Para que el título resalte, fórmalo con letras grandes y usa letras más pequeñas para los encabezados.
4. Para acomodar las letras, colócalas en el bastidor sin pegarlas. Después, usa regla y lápiz para trazar una línea recta tenue que sirva de guía para alinear el extremo inferior de cada letra. De esta forma, el letrero queda derecho. Antes de pegar los materiales, solicita la opinión de tus compañeros, profesores o familiares.
5. Si necesitas electricidad en tu proyecto, asegúrate de que el alambrado cumple con todas las normas de seguridad.
6. Lleva contigo un equipo de emergencia con letras extras, pegamento, cinta adhesiva, cartulina del color del bastidor, engrapadora, tijeras, lápices, plumas, pinturas para retocar, etc. En este equipo deberás encontrar cualquier cosa que llegaras a necesitar para hacer modificaciones de último minuto en el módulo de exhibición.

PARA GANAR PUNTOS

Utiliza gráficas de computadora.
Muestra fotografías que representen el procedimiento y los resultados.
Utiliza colores contrastantes.
Limita el número de colores empleados.
Exhibe modelos cuando haya oportunidad. De ser posible, consigue que los modelos hagan juego con el color del bastidor.
Pega los diagramas en orden. Si son muchos, pégalos uno encima del otro, de tal modo que puedan levantarse para poderlos ver.
Equilibra la distribución de los materiales en el bastidor. Esto quiere decir que coloques los materiales de manera uniforme en el bastidor, de tal modo que ocupen aproximadamente la misma cantidad de espacio en cada panel.
Utiliza lápiz adhesivo o cinta adhesiva de dos caras para pegar papeles. El pegamento líquido arruga el papel.
No dejes espacios vacíos amplios en el bastidor.
No dejes vacía la mesa enfrente del bastidor. Aprovecha este espacio para tus modelos, el informe, copias de la síntesis y la bitácora.
No coloques equipo eléctrico en el bastidor ni dejes el cable expuesto.
No hagas difícil la lectura del título o los encabezados por dejar las letras desalineadas, formar las palabras con letras de diferentes

Figura 8.2 Ejemplo de un módulo mal presentado.

colores o por una colocación desordenada de los materiales.

No escribas a mano las letras en el bastidor.

No pegues carpetas que queden abiertas en el bastidor.

No cometas errores de ortografía o al escribir fórmulas.

En la figura 8.2 se muestra la manera en que no debe quedar tu módulo de exhibición.

SEGURIDAD

Básicamente, todo aquello que implique riesgo para los estudiantes o el público está *prohibido* y no puede exhibirse. Se presenta a continuación una lista de las cosas cuya exhibición por lo general no es aceptada. Para mayor información, tu profesor tiene acceso a una lista completa de reglas de seguridad de los responsables de la feria de ciencias. El tema de tu proyecto debe ser aprobado por tu profesor antes de que lo empieces. Con esto evitas trabajar en un proyecto riesgoso y que pierdas tiempo en un trabajo que sería descalificado. Una buena idea es usar modelos o fotografías en lugar de los materiales cuya exhibición está restringida.

Cosas que no se aceptan para exhibición

1. Animales vivos.
2. Cultivos de microbios u hongos, vivos o muertos.
3. Partes humanas o de animales, excepto dientes, cabello, uñas y huesos.
4. Líquidos, incluyendo agua.
5. Productos químicos y sus envases vacíos, incluyendo sustancias cáusticas, ácidos y limpiadores domésticos.
6. Flamas abiertas u ocultas.
7. Baterías con celdas no selladas.
8. Materiales inflamables.
9. Latas de aerosol de solventes domésticos.
10. Sustancias controladas, medicinas y venenos.
11. Cualquier equipo o dispositivo que implique riesgo para el público.
12. Objetos punzocortantes, como jeringas, navajas y agujas.
13. Gases.

Capítulo 9

Presentación y evaluación

Tu profesor puede pedirte que hagas una presentación del proyecto a tu clase. Si es así, hazla breve pero completa. Presentarte enfrente de la clase suele ser la parte más difícil del proyecto. Debes hacer tu mejor esfuerzo, así es que lo indicado es prepararte y... practicar, practicar y practicar. De ser posible, graba el audio de tu presentación de práctica; si alguien toma un video, tanto mejor. Escucha o ve el video y evalúate a ti mismo. Repasa tus notas y practica de nuevo.

Practicar la presentación oral también te será de utilidad en la feria de ciencias. No pierdas de vista que los jueces te califican y otorgan puntos si presentas y explicas con claridad el proyecto en sí y su objetivo, el procedimiento, los resultados y la conclusión. Procura que tu exhibidor esté organizado de tal modo que se explique por sí mismo con la información que contenga, aunque tu capacidad para presentar el proyecto y responder a las preguntas debe convencer a los jueces de que fuiste tú quien realizó el trabajo y que entendiste lo que estabas haciendo. Ten presente que "la práctica hace al maestro", por lo que mucho te ayudará que ensayes la presentación delante de tus amigos y respondas a las preguntas que se les ocurran, al mismo tiempo que aclaras sus dudas. Ya frente a los jueces, si no estás seguro de tu respuesta, no intentes adivinar o improvisar, ni digas simplemente "no lo sé". En vez de ello, di que no encontraste esa respuesta durante tu investigación, pero al mismo tiempo trata de proporcionar otra información que consideres de interés y relacionada con el tema. ¡Muéstrate orgulloso del proyecto y presenta con entusiasmo tu trabajo!

Seguramente no tienes problema para decidir cuál es la mejor forma de vestir para una presentación en clase, pero para la feria de ciencias es conveniente hacer un esfuerzo especial para lucir bien. Recuerda que estás representando tu trabajo. De hecho, te conviertes en agente de ventas de tu proyecto y debes ofrecer la mejor imagen posible. Tu apariencia le dice a los demás cuánto orgullo personal tienes por ti mismo y ése es el primer paso para "venderles el producto": tu proyecto de ciencias.

INFORMACIÓN SOBRE LA EVALUACIÓN

La mayoría de las ferias de ciencias aplican sistemas de puntuación similares para evaluar un proyecto; es conveniente que estés preparado y sepas que el jurado, por lo general, parte de la base de que el proyecto de cada estudiante es bueno en promedio. Después, suma o resta puntos de esa evaluación inicial. Un estudiante recibe más puntos por cumplir con lo siguiente:

1. Objetivos del proyecto

   - Presentar ideas originales
   - Enunciar claramente el problema
   - Definir las variables y usar controles
   - Relacionar trabajos de investigación secundaria con el problema

2. Habilidades personales

   - Estar familiarizado con el equipo utilizado
   - Efectuar los experimentos con poca o ninguna ayuda, excepto cuando así se requiera por seguridad
   - Demostrar que tienes los atributos personales para haber obtenido los datos reportados

3. Recopilación de datos

   - Uso de una bitácora para recopilar datos e investigaciones

- Repetición del experimento para comprobar los resultados
- Ocupar un tiempo razonable para completar el proyecto

4. Interpretación de datos

- Uso de tablas, gráficas e ilustraciones en la interpretación de los datos
- Aplicación de investigaciones para interpretar los datos recabados
- Recolección de datos suficientes para llegar a una conclusión
- Uso exclusivo de los datos recabados para llegar a la conclusión

5. Presentación del proyecto (materiales escritos/entrevista/módulo de exhibición)

- Preparar un informe completo
- Responder con precisión a preguntas
- Usar el módulo de exhibición durante la presentación oral
- Justificar las conclusiones con base en los datos del experimento
- Resumir los conocimientos adquiridos
- Mostrar los elementos del módulo de exhibición con habilidad creativa y originalidad
- Presentar un módulo de exhibición atractivo e interesante

TU COMPORTAMIENTO EN LA FERIA

Lleva pasatiempos, como rompecabezas o un libro, a fin de mantenerte ocupado en tu lugar. Puede haber una larga espera antes de que llegue el primer jurado, e incluso entre un jurado y otro.

Conoce a tus vecinos. Muéstrate amistoso y cortés.

Entérate de los proyectos de tus vecinos y platícales del tuyo si manifiestan interés. Estas conversaciones ayudan a que se pase el tiempo y liberan la tensión nerviosa por la espera de ser evaluado. También puedes descubrir técnicas de investigación para tus proyectos futuros.

Diviértete.

No te rías ni hables en voz muy alta. Esto puede afectar a las personas que están siendo evaluadas.

No olvides que eres embajador de tu escuela. Esto significa que tu actitud y comportamiento influyen en las personas de la feria por la imagen que proyectas de ti y de los estudiantes de tu escuela.

II

50 IDEAS DE PROYECTOS PARA LA FERIA DE CIENCIAS

Astronomía

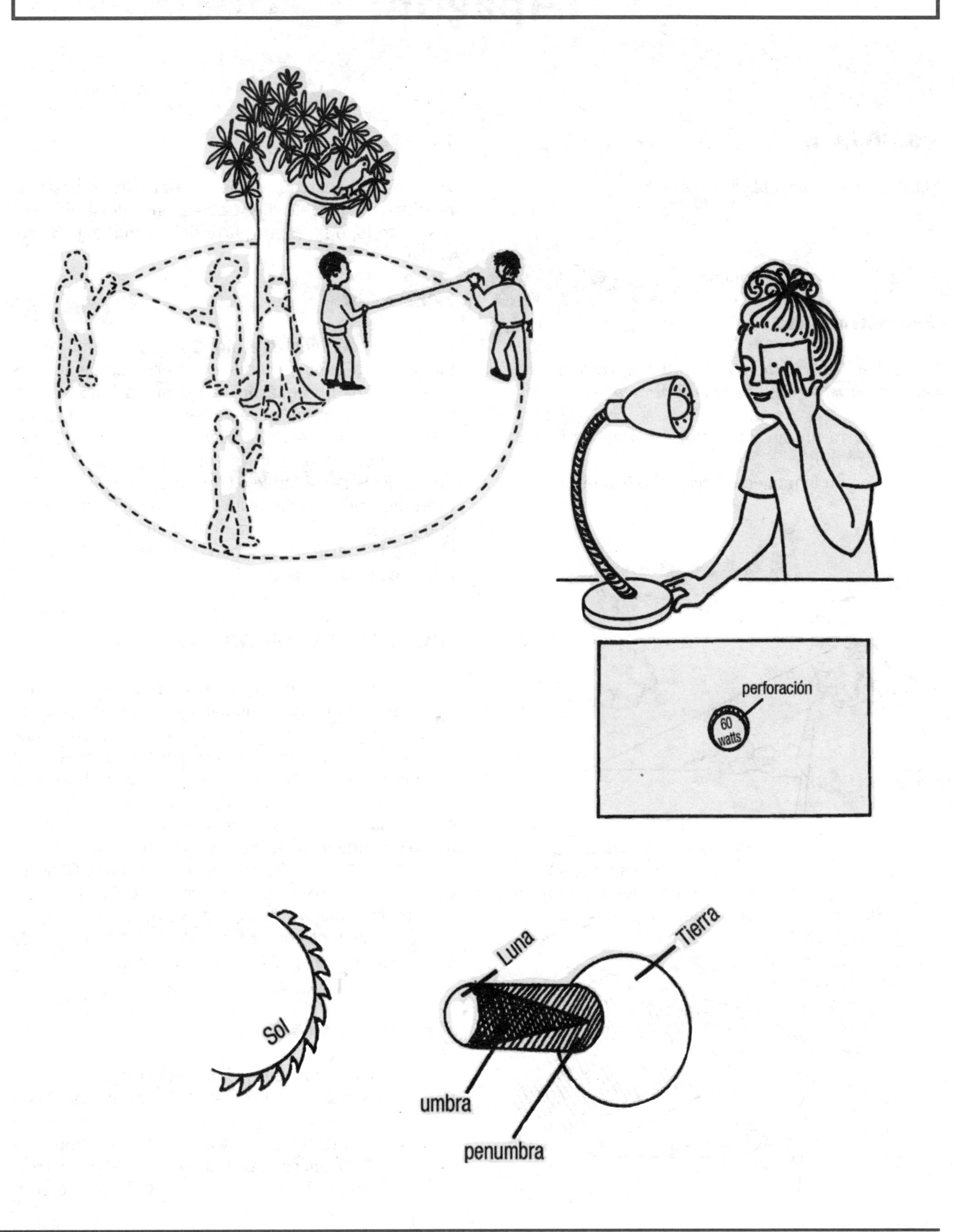

¡Apagón!

PROBLEMA

¿Qué produce un eclipse solar?

Material

- Una moneda pequeña

Procedimiento

PRECAUCIÓN: Nunca mires el Sol directamente; puedes causarte daños permanentes en los ojos.

1. Cierra un ojo y mira un árbol distante con el otro ojo.
2. Sostén la moneda cerca del ojo abierto.

3. Mueve la moneda hasta que esté enfrente de tu ojo abierto y aproximadamente a la misma distancia de la punta de tu nariz.

Resultados

Conforme se acerca la moneda a tu rostro, se interpone entre tu ojo y el árbol. Se ve menos del árbol, hasta que todo, o la mayor parte del mismo, deja de ser visible.

¿Por qué?

En este experimento, el árbol representa al Sol, la moneda a la Luna, y tu ojo a la Tierra. La moneda es más pequeña que el árbol, así como la Luna es más pequeña que el Sol, pero ambas pueden bloquear la luz y arrojar una sombra. Entre más cerca estén del observador, mayor será la cantidad de luz que bloqueen. El Sol está tan lejos que aparece como un disco en el cielo. La Luna está cerca de la Tierra, por lo que puede bloquear la luz del Sol cuando pasa entre el Sol y la Tierra. El bloqueo de la luz del Sol por la Luna se llama **eclipse solar**.

¡EMPIEZA EL JUEGO!

Si el movimiento de traslación de la Luna alrededor de la Tierra dura aproximadamente un mes, ¿por qué los eclipses no ocurren con la misma frecuencia? La respuesta es que los eclipses solares se presentan cuando la Luna pasa directamente entre el Sol y la Tierra. Repite el experimento cambiando la localización de la moneda. Sostén la moneda arriba, de tal modo que quede apenas encima de tu ojo, luego bájala hasta que quede un poco abajo de tu ojo. Observa que la moneda sólo bloquea tu visión del árbol cuando éste, la moneda y tu ojo están alineados. Un eclipse solar solamente ocurre cuando el Sol, la Luna y la Tierra están alineados uno con los otros.

¡TE TOCA TIRAR!

1a. Determina por qué no toda la Tierra se oscurece en un eclipse solar. Traza un círculo de 50 cm (20 pulg) de diámetro en el centro de un cartón (en el experimento 36 se muestra cómo hacer un círculo de este diámetro). Rotula el círculo "Tierra". Coloca el cartón en un área con pasto y soleada. Pega una bola de arcilla del tamaño de un limón en la goma de un lápiz. La bola de arcilla representa la Luna. Clava la punta del lápiz por el centro del círculo hasta el pasto de tal modo que el lápiz quede derecho. Observa el tamaño de la sombra que proyecta la bola de arcilla y la parte del círculo que abarca. Si la sombra de la bola se sale del círculo, introduce más el lápiz en el pasto. La sombra de la Luna, igual que sucede en el caso de la bola de arcilla, solamente cubre una pequeña porción de la Tierra.

b. ¿Permanece en un solo lugar de la Tierra la sombra que proyecta la Luna durante un eclipse solar? Repite el experimento anterior haciendo una marca en el cartón en el centro de la sombra de la bola de arcilla. Marca el cartón cada 30 minutos seis o más veces durante el día. Usa tus resultados y el hecho de que la Tierra tiene un movimiento de **rotación** (gira sobre su eje) para determinar si la sombra de la Luna se proyecta en áreas diferentes durante un eclipse solar. Usa diagramas para representar los resultados.

2. Durante un eclipse solar total, la Luna bloquea la luz sumamente intensa de la **fotosfera** (la superficie visible del Sol), lo cual permite estudiar el estrato de gas incandescente menos intenso alrededor del Sol, llamado **corona**. Para demostrar este hecho, pide a un adulto que haga un agujero con la punta de un compás en el centro de una tarjeta para fichas. Cierra un ojo y sostén la tarjeta enfrente de tu ojo abierto. Mira por el agujero de la tarjeta al foco encendido de una lámpara. La capacidad del foco impresa en la cara externa puede leerse cuando se mira por el agujero. *PRECAUCIÓN: No mires el Sol por el agujero.*

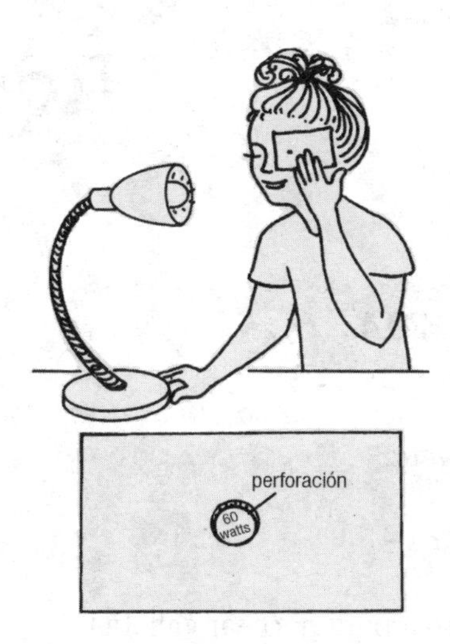

3. Determina por qué algunas áreas de la sombra de la Luna son más oscuras que otras durante un eclipse solar. Pon una hoja de papel carta sobre una mesa y coloca una lámpara de escritorio a unos 35 cm (14 pulg) del papel. Pon tu mano entre la luz y el papel a unos 3 cm (1 pulg) por encima del papel. Observa que la sombra de tu mano es más oscura en el centro que hacia el exterior. Dibuja y exhibe el diagrama de un eclipse solar. Rotula las dos partes de la sombra: la **umbra** (la parte interior más oscura) y la **penumbra** (la parte exterior más clara).

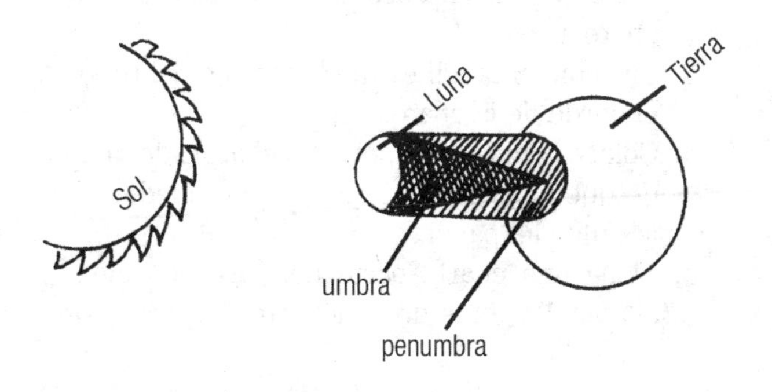

¡SIGUES TIRANDO!

A un eclipse de la Luna se le llama *eclipse lunar*. ¿Cuál es la posición del Sol, la Luna y la Tierra durante un eclipse lunar? Averigua más acerca de los eclipses solares y lunares. ¿Qué es un eclipse anular? ¿Cuál es el tipo de eclipse que ocurre con mayor frecuencia?

Aquí, orbitando

PROBLEMA

¿Qué mantiene a un satélite en órbita alrededor de un planeta?

Materiales

- charola para hornear galletas
- tubo de cartón de un rollo de papel higiénico
- cinta adhesiva (*masking tape*)
- hoja de papel carta
- vaso
- agua de la llave
- colorante de cocina rojo
- cuchara
- canica
- plastilina

Procedimiento

1. Pon la charola en una mesa.
2. Coloca el tubo de cartón en una de las esquinas de la charola, con uno de los extremos sobre uno de los bordes del lado más corto de la charola.
3. Fija con cinta adhesiva el extremo del tubo en el borde de la charola.
4. Coloca la hoja de papel en la charola de tal modo que el extremo libre del tubo quede sobre la orilla del papel.
5. Llena una cuarta parte del vaso con agua y agrega 10 gotas del colorante de cocina. Revuélvelo.

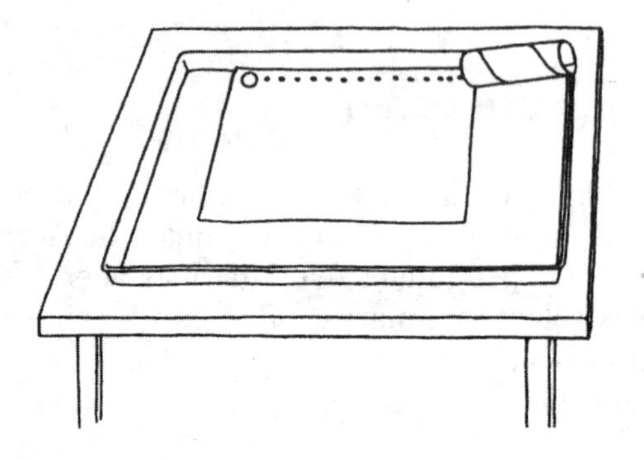

6. Moja la canica en el agua coloreada, colócala en el extremo levantado del tubo y suéltala.
7. Coloca dos trozos de plastilina abajo de las esquinas para levantar unos 3 cm (1 pulg) el lado más largo de la charola donde está el tubo.
8. Nuevamente, moja la canica, colócala en el tubo y suéltala.

Resultados

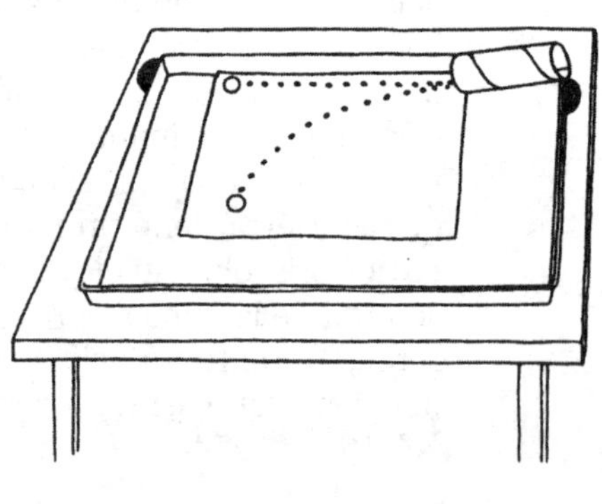

Las manchas de agua roja marcan las dos trayectorias de la canica. La trayectoria de la charola nivelada es recta, en tanto que la trayectoria de la charola inclinada es curva.

¿Por qué?

La **gravedad** (la fuerza que atrae a los objetos hacia el centro de la Tierra) jala la canica por el tubo levantado y la mantiene sobre la charola nivelada conforme rueda hacia adelante en línea recta. En el caso de la charola inclinada, la canica se mueve hacia adelante cuando pasa por el tubo levantado, pero la gravedad de la Tierra trata de jalarla hacia el extremo más bajo de la charola. La combinación del movimiento hacia adelante de la canica y la atracción hacia abajo de la gravedad hace que la canica se mueva en una trayectoria curva. La trayectoria de un **satélite** (un cuerpo celeste que gira alrededor de otro cuerpo celeste), al igual que la canica en la charola inclinada, es curva debido a su movimiento hacia adelante y a que la fuerza de gravedad del planeta lo jala hacia este último. Si no hubiera fuerza de gravedad, los satélites se moverían en trayectorias rectas; y si no hubiera movimiento hacia adelante, la gravedad jalaría al satélite hacia el planeta. A la trayectoria curva que traza un satélite alrededor de un planeta se le llama **órbita**.

¡EMPIEZA EL JUEGO!

1. ¿De qué manera afectaría a la órbita de un satélite un aumento de la velocidad hacia adelante? Repite el experimento utilizando otra hoja de papel y un trozo de plastilina más grande para que se levante más el extremo del tubo.
2. ¿De qué manera afectaría a la trayectoria de un satélite un aumento de la fuerza de gravedad? Aun cuando la fuerza de gravedad no cambia significativamente alrededor de un planeta dado, puede usarse el resultado de aumentar la inclinación de la charola para simular el efecto de una fuerza de gravedad mayor sobre los satélites que orbitan diferentes planetas. Repite el experimento original utilizando otra hoja de papel y más plastilina para aumentar la inclinación de la charola.
3. Dado un incremento de la fuerza de gravedad, ¿un aumento de la velocidad hacia adelante enviaría a la canica en la misma trayectoria curva que en el experimento original? En una hoja de papel diferente, traza la trayectoria curva seguida por la canica del experimento original y coloca el trazo en la charola. Repite el experimento anterior aumentando la altura del extremo levantado del tubo. **¡Gana puntos en la feria de ciencias!:** Utiliza las hojas con las trayectorias marcadas en rojo de cada experimento o como parte de tu módulo de exhibición.

¡TE TOCA TIRAR!

¿Cómo es que algunos satélites parecen permanecer en un solo sitio sobre la Tierra? Para determinar esto, un árbol sirve muy bien para representar a la Tierra (si no tienes un árbol, también sirve una columna o un poste). Pídele a un ayudante que sostenga el extremo de una cuerda de unos 3 m (10 pies) de largo mientras que tú sostienes el otro. Dile a tu ayudante que se pare cerca del árbol. Caminen juntos alrededor del árbol a un paso que mantenga la cuerda estirada y en línea recta entre los dos conforme trazan círculos imaginarios alrededor del árbol. Tu ayudante caminará en un círculo pequeño mientras que tú caminarás por un círculo grande. La distancia alrededor del círculo exterior es mayor que la del círculo próximo al árbol. Por tanto, tú debes caminar más rápido que tu ayudante para trazar el círculo más grande, mientras que tu ayudante traza el círculo más pequeño. Un satélite que permanece en un solo sitio sobre la Tierra viaja a una velocidad que le da un **periodo orbital** (el tiempo requerido para completar una órbita) de 24 horas, el mismo que el de la Tierra; de esta manera, el satélite parece permanecer estacionario sobre la Tierra.

¡SIGUES TIRANDO!

A los satélites que permanecen en un solo sitio sobre la Tierra se les llama *satélites geoestacionarios*. Averigua más acerca de estos artefactos orbitales. ¿Cuál es su altura sobre la Tierra? ¿Cuál es su velocidad? ¿Para qué sirven estos satélites? Para más información acerca de los satélites geoestacionarios, consulta la obra *Astronomía*, de la colección *Biblioteca científica para niños y jóvenes*, de Janice VanCleave (México: Editorial Limusa).

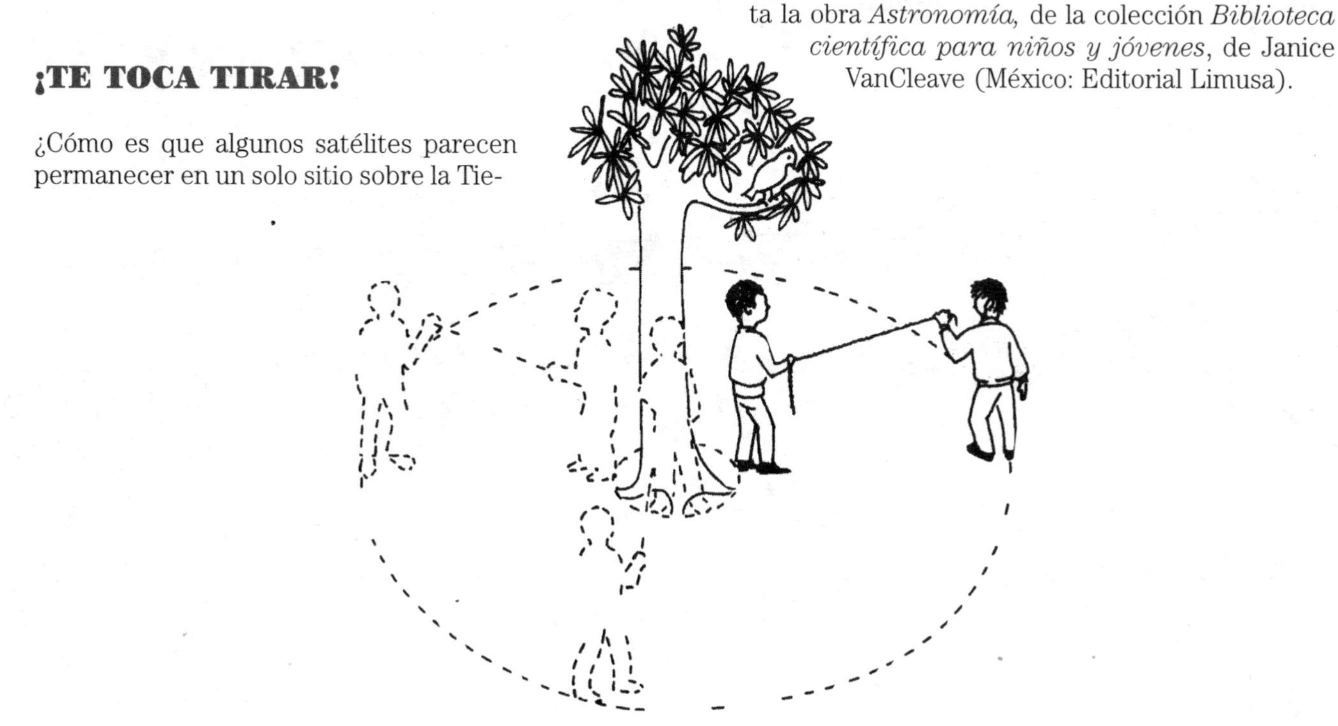

Biología

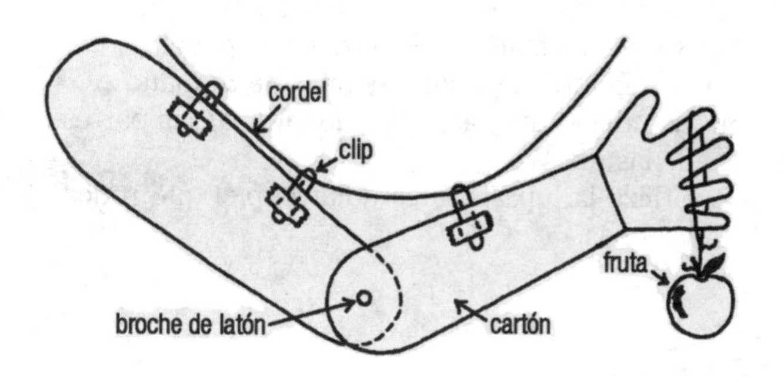
cordel
clip
fruta
broche de latón
cartón

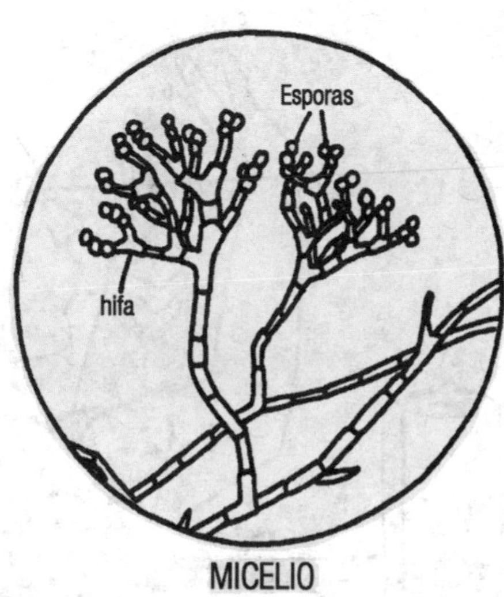
Esporas
hifa
MICELIO

Uñas ¿de piel?

PROBLEMA

¿Cuáles son las diferentes partes de las uñas de la mano?

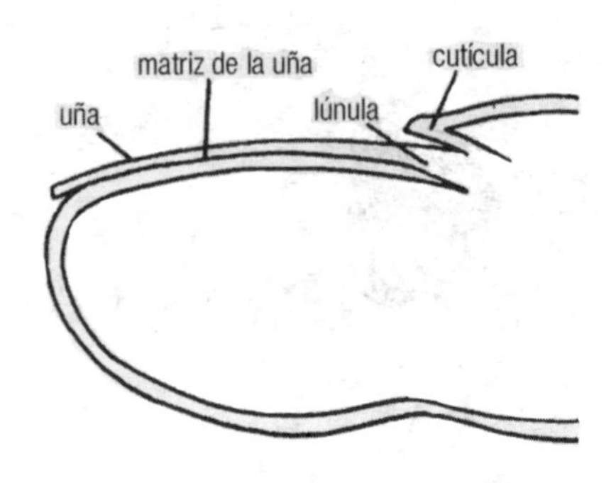

Materiales

- jabón
- agua de la llave
- toalla de papel
- lupa

Procedimiento

1. Lávate las manos con agua y jabón.
2. Sécate las manos con la toalla de papel.
3. Con la lupa, examina las uñas de tu mano.
4. Estudia el diagrama para identificar las partes de las uñas.
5. Utiliza la lupa para estudiar la piel que rodea las uñas.

Resultados

La parte de la uña que cubre el dedo es rosada; la parte que sobresale de la punta del dedo se ve blanca. También hay un área blanquecina en forma de media luna cerca de la base de la uña. Algunas uñas tienen manchas blancas. La piel que rodea la uña generalmente luce seca y escamosa.

¿Por qué?

Tus uñas están constituidas por **células** (las unidades de estructura básicas, o "ladrillos", de todos los seres vivos) de la piel que se han comprimido apretadamente para formar una placa delgada y rígida. La **matriz de la uña** es el área rosada y carnosa situada abajo de la uña; proporciona una superficie uniforme para que la uña crezca, y su color rosado es producido por el abundante flujo de sangre bajo ella. Todo nuevo crecimiento de la uña tiene lugar donde empieza el área blanquecina en forma de media luna, conocida como **lúnula**. Las irregularidades de una uña se deben al crecimiento disparejo en la **raíz ungular** (el área bajo la lúnula). Las manchas irregulares blancas de la uña son burbujas de aire atrapadas entre las capas de células. La **cutícula** es tejido muerto alrededor de la base y los lados de las uñas.

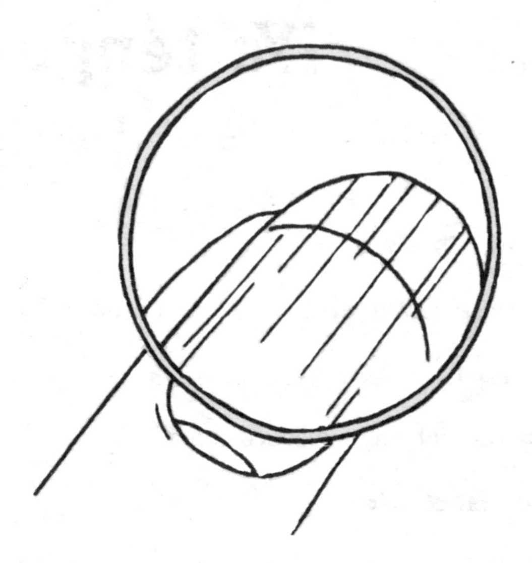

OBSERVACIÓN CON UN MICROSCOPIO

Procedimiento

1. Si tus uñas no sobresalen de la punta de tus dedos, busca a alguien que sí tenga las uñas crecidas.
2. Coloca el dedo con la uña más larga sobre la platina del microscopio.
3. Coloca una lámpara de escritorio de tal modo que la uña quede iluminada intensamente desde arriba.
4. Con una lente de poco aumento, estudia la estructura de la superficie superior del extremo de la uña.
5. Pinta el extremo de la uña con una capa delgada de esmalte para uñas rojo.
6. Nuevamente observa el extremo de la uña.

Resultados de la observación

Después de varias observaciones, podrás comprobar que la superficie de la uña varía de un individuo a otro, pero nadie tiene uñas lisas. El esmalte rojo hace resaltar las variaciones o rugosidades de la superficie de la uña.

¡EMPIEZA EL JUEGO!

¿Las uñas de los pies lucen igual que las de la mano? Repite el experimento original observando ahora las uñas de los pies. Puesto que resulta difícil observar las uñas propias, tienes que hacer la observación con las uñas de otra persona. **¡Gana puntos en la feria de ciencias!:** Haz diagramas de las uñas como se ven a simple vista, con una lupa y con un microscopio. Describe las uñas y rotula las partes estructurales. Usa los diagramas como parte del módulo de exhibición del proyecto.

¡TE TOCA TIRAR!

Al igual que las uñas, el cabello está constituido por células de piel modificadas. Un **pigmento** (materia colorante) en la caña de los cabellos, llamado **melanina**, determina su color. Averigua por qué el cabello se vuelve gris o blanco. Consigue muestras de cabello de una persona que tenga cabello de color natural y canas. Observa los dos tipos de cabello con una lupa o un microscopio. Exhibe las muestras en una bolsa de plástico sellada con diagramas de su apariencia amplificada, junto con una explicación de las diferencias en el color.

¡SIGUES TIRANDO!

La temperatura parece afectar la rapidez con que crecen las uñas: crecen más rápido en los meses del verano que en el invierno. Consulta una enciclopedia para averiguar más acerca de las uñas de la mano. ¿Con qué rapidez promedio crecen las uñas? ¿Todas las uñas de una mano crecen con la misma rapidez? ¿Las uñas de la mano derecha crecen con la misma rapidez que las de la izquierda? ¿Las uñas de los pies crecen igual de rápido que las de la mano?

¡Yo tengo mis palancas!

PROBLEMA

¿Qué clase de máquina simple es tu antebrazo?

Material

- Una cubeta de plástico con asa

Procedimiento

1. Coloca tu codo sobre la mesa. Tu antebrazo debe descansar sobre la mesa y tu mano debe sobresalir del borde de la misma. La palma de tu mano debe estar hacia arriba.
2. Coloca el asa de la cubeta en tu mano.
3. Alza el brazo sin levantar el codo de la mesa.

Resultados

A medida que aumenta la altura de tu antebrazo sobre la mesa, la altura de la cubeta también aumenta.

¿Por qué?

Una palanca es una máquina simple, la cual consiste de una barra rígida y un punto fijo de rotación llamado **fulcro**, que se usa para levantar o mover objetos. En una **palanca de tercer orden**, como tu antebrazo, el **esfuerzo** (la fuerza que aplicas) está entre el fulcro y la **carga** (el objeto que la máquina está levantando o moviendo), en este caso tu mano y la cubeta. Conforme levantas tu mano, tu brazo gira en el codo, y así éste actúa como el fulcro. Tu mano, junto con el peso de la cubeta, actúa como la carga. El esfuerzo necesario para levantar la carga es aplicado por los músculos del brazo. La cantidad total de fuerza que puedes levantar depende de la fortaleza de tus músculos. Como ocurre con todas las palancas de tercer género, el esfuerzo aplicado se encuentra entre el fulcro y la carga, lo que hace que el **brazo de palanca de la fuerza** (la distancia del esfuerzo aplicado al fulcro) sea más corto que el **brazo de palanca de la resistencia** (la distancia de la carga al fulcro).

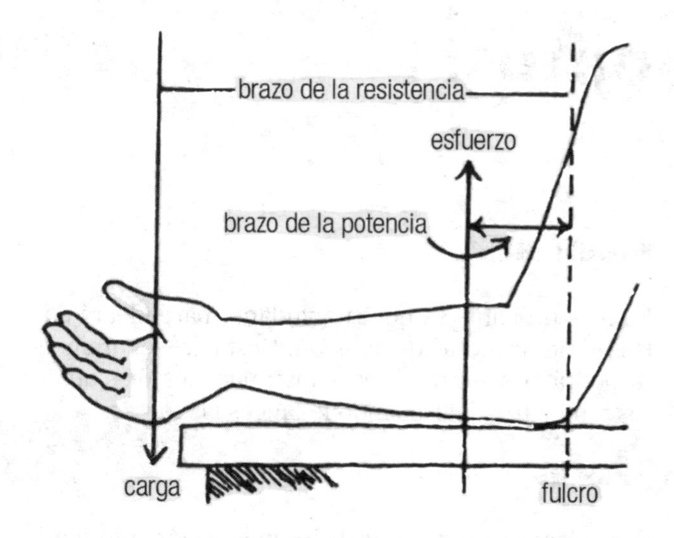

¡EMPIEZA EL JUEGO!

1. La distancia del codo al lugar en que los músculos se unen a los huesos del antebrazo es el brazo de palanca de la fuerza. La distancia de la palma de la mano al codo es el brazo de palanca de la resistencia. Si se aumenta el brazo de palanca de la resistencia, ¿cambiaría el esfuerzo necesario para levantar la carga? Repite el experimento, pero sostén con tu mano una regla. Primero coloca la cubeta en la regla cerca del extremo más cercano a tu mano y repítelo después, colocando la cubeta cerca del otro extremo de la regla.

2a. ¿Cuál es la mayor carga que puedes levantar usando tu antebrazo como palanca de tercer género? Repite el experimento original pidiendo a alguien que te ayude a poner objetos pesados en la cubeta, como piedras, hasta que apenas puedas levantar la carga. Usa una báscula de cocina para medir el peso de la cubeta.

b. Si se incrementa el brazo de la resistencia, ¿se afectarían los resultados? Repite el experimento anterior usando la regla como se indica en el párrafo 1.

¡TE TOCA TIRAR!

1. La cantidad en la que una máquina aumenta un esfuerzo es su **ventaja mecánica** (VM). Si la VM de tu antebrazo es 4, entonces la fuerza de resistencia es 4 veces el esfuerzo aplicado por tu brazo. Usa esta VM promedio para determinar el esfuerzo necesario para levantar la cubeta vacía.

   - Primero calcula la fuerza de la resistencia mediante los pasos siguientes:

     a. Mide y registra el peso de la cubeta.
     b. Manteniendo tu codo sobre la mesa, coloca tu mano sobre la báscula de cocina y registra su peso.
     c. Calcula la fuerza de resistencia total sumando el peso de la cubeta y de tu mano.

   - Después, divide la fuerza de resistencia entre 4.

2. Construye un modelo de cartón del antebrazo como el que se muestra en el diagrama. Rotula y usa el modelo como parte del módulo de exhibición para hacer una demostración de una palanca de tercer orden. Rotula las partes de la palanca e incluye una breve explicación de la manera en que trabajan los músculos.

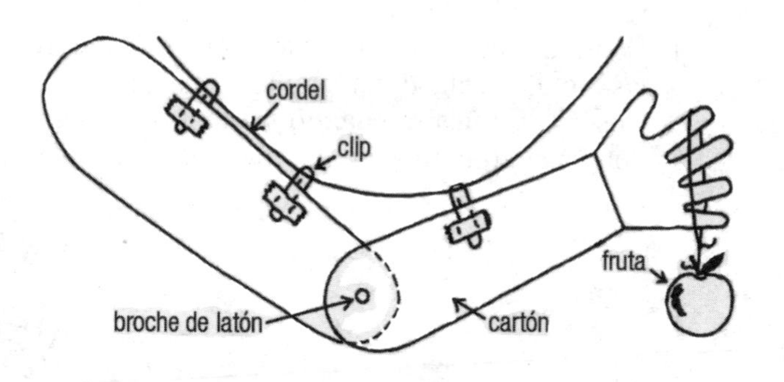

¡SIGUES TIRANDO!

Tu mandíbula inferior, como tu antebrazo, actúa como una palanca de tercer orden. Averigua más acerca de la manera en que el cuerpo humano puede compararse con las máquinas simples. Un experimento que muestra cómo usar tus dedos para demostrar otro tipo de palanca puedes encontrarlo en las páginas 132-133 del libro *Física para niños y jóvenes*, de Janice VanCleave (México: Editorial Limusa).

¡Hazme ojitos!

PROBLEMA

¿Qué clase de conducta es parpadear?

Materiales

- hoja de envoltura de plástico transparente
- 10 motas de algodón
- ayudante

Procedimiento

PRECAUCIÓN: No sustituyas materiales. No sería seguro usar otra cosa que no fueran motas de algodón.

1. Dile a tu ayudante que sostenga la hoja de plástico enfrente de su cara.
2. Párate a un metro de tu ayudante.
3. Sin avisarle, arroja una mota de algodón directamente a su cara. La mota de algodón será detenida por la hoja de plástico.
4. Continúa arrojando a la cara de tu ayudante las motas de algodón restantes, una a la vez.
5. Observa y registra cuando las motas de algodón hagan que tu ayudante parpadee.

Resultados

Lo más probable es que tu ayudante parpadeará con las primeras motas de algodón. Después, seguramente podrá concentrarse para mantener los ojos abiertos y no parpadear cuando le lances las motas.

¿Por qué?

Parpadear es un **acto reflejo**, una acción automática que se realiza sin pensarlo. Se requiere concentración para tratar de **inhibir** (evitar que suceda) una acción refleja. Algunas personas pueden controlar mejor la respuesta del parpadeo si tienen conciencia de que los **estímulos** (aquello que ocasiona una respuesta —en este experimento las motas de algodón que se lanzan) están por llegar. Los animales con párpados se comportan de la misma manera. Cuando un objeto inesperado se aproxima de improviso, cierran los ojos automáticamente. Los cinco sentidos (la vista, el oído, el gusto, el tacto y el olfato) tienen **células sensoriales**. En este experimento con las motas de algodón, el movimiento involuntario es causado por las células sensoriales del ojo, que envían un mensaje a un centro de control en la espina dorsal. De la espina dorsal se trans-

miten de inmediato a los músculos del ojo las instrucciones para cerrar los párpados como protección, dando por resultado la acción de parpadear.

¡EMPIEZA EL JUEGO!

¿La respuesta refleja sería afectada si las motas de algodón provinieran inesperadamente de direcciones diferentes? Para determinarlo, repite el experimento, pero con dos personas que arrojen las motas de algodón desde direcciones diferentes a otra persona que se proteja la cara con una hoja de plástico. **¡Gana puntos en la feria de ciencias!:** Pon fotografías de este experimento como parte del módulo de exhibición del proyecto, junto con un resumen de los resultados.

¡TE TOCA TIRAR!

1. Los gatos tienen bigotes en la cara que están conectados a nervios en la piel. Estos pelos responden al menor contacto y ayudan a los gatos a sentir su camino en espacios reducidos. Prueba qué tan sensible es el cabello humano pidiendo a un ayudante que mire hacia otra parte mientras pasas suavemente el dorso de tu mano de un lado para otro sobre las puntas de los vellos de su brazo. ¿Sintió tu ayudante los movimientos? Averigua más acerca de la manera en que los animales usan su pelo para responder a su ambiente.
2. ¿Tienen acciones reflejas los **organismos** que no son **mamíferos**? (Los mamíferos son animales de sangre caliente, con pelo y espina dorsal.) Coloca varias lombrices de tierra en una toalla de papel húmeda y registra su respuesta al ser tocadas con la punta de una cuerda. Investiga en un libro de biología sobre el sistema nervioso de la lombriz de tierra y cómo responde a estímulos, como el tacto. Prepara fotografías junto con un resumen de las respuestas. *NOTA: Puede necesitarse aprobación para usar organismos vivos en tu proyecto para la feria de ciencias. Verifícalo con tu profesor antes de empezar este experimento. Al terminar, reintegra las lombrices de tierra a su ambiente natural.*
3. ¿Cuáles son otras acciones reflejas comunes en los humanos? Presenta diagramas que muestren las acciones reflejas que ocurren como resultado de:

   a. ser espantado.
   b. recibir un ligero golpe en la parte suave de la rodilla, abajo de la rótula.
   c. tocar algo puntiagudo, como una tachuela.

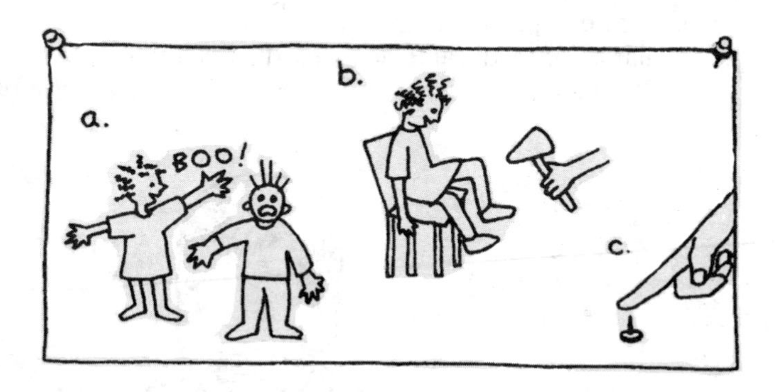

¡SIGUES TIRANDO!

La acción refleja es un ejemplo de una conducta animal *innata*. Otro ejemplo de acción refleja se observa cuando los animales saltan para alejarse del calor antes de que lleguen a sentir realmente algún dolor. Averigua acerca de la trayectoria de corto circuito de protección que toman los impulsos nerviosos que producen una acción refleja. Exhibe un diagrama junto con la explicación del movimiento de los impulsos nerviosos.

¡Llega hasta la punta!

PROBLEMA

¿Cómo se mueve el agua a través de una hoja?

Materiales

- vasos de cristal
- agua de la llave
- colorante de cocina rojo
- tijeras
- hoja grande de árbol (de preferencia, de encino)
- crayolas o marcadores de colores
- 3 hojas de papel carta

Procedimiento

1. Llena una cuarta parte del vaso con agua.
2. Agrega suficiente colorante de cocina para que el agua se tiña de color rojo fuerte.
3. Haz un corte en el extremo del tallo de la hoja.
4. Mete parada la hoja en el vaso.
5. Observa la hoja y haz un dibujo a color de ella. Etiqueta el dibujo Día 1.
6. Repite el paso 5 más o menos a la misma hora diariamente durante los dos días siguientes. Etiqueta los dibujos Día 2 y Día 3.

Resultados

El color rojo avanza paulatinamente por la hoja, primero siguiendo el patrón formado por las **venas** (estructuras conductoras de las hojas) y luego por el resto de la hoja.

¿Por qué?

La hoja forma parte de una **planta vascular**. Una planta vascular tiene un **sistema vascular** que contiene haces de **tubos vasculares**, los cuales transportan la **savia** (líquido vegetal). Las venas de una hoja están constituidas por haces de tubos vasculares. Hay dos tipos de tubos vasculares: tubos del xilema y tubos del floema. Los **tubos del xilema** transportan la savia que contiene agua y minerales desde las raíces a toda la planta. Estos tubos también sirven de apoyo a la planta debido a que sus paredes son gruesas. Los **tubos del floema** transportan la savia a toda la planta con el agua y alimento elaborado en las hojas. En la presente actividad, el agua coloreada que observaste se movía por los tubos del xilema.

Los científicos piensan que la **transpiración** (un proceso por el cual se pierde **vapor de agua** —agua en estado de gas— a través de las hojas) es responsable del movimiento ascendente del agua por los tubos

del xilema y contrarresta la atracción de la gravedad. Se piensa que los tubos del xilema están llenos de savia desde las raíces hasta las hojas, la cual es en su mayor parte agua. Parte del agua de los tubos del xilema **se evapora** (cambia de líquido a gas debido a la incorporación de energía calorífica) durante la transpiración. Conforme se pierde agua de los tubos del xilema, las columnas de savia de los tubos son jaladas hacia arriba. Esto se debe a que las moléculas de agua se mantienen firmemente unidas unas con otras. Cuando las **moléculas** de agua en los tubos del xilema se mueven hacia arriba, el agua del suelo es jalada hacia las raíces.

¡EMPIEZA EL JUEGO!

1. ¿Se moverá el agua de la misma manera por una planta vascular con tallo más largo? Repite el experimento con un apio que tenga el tallo pálido, lo mismo que las hojas (en un manojo de apio, este tipo de tallo lo hallarás en el centro).
2. ¿Cómo afecta la rapidez con que el agua se evapora de las hojas a la velocidad con que se mueve el agua por los tubos del xilema? Repite el experimento anterior con tres apios puestos en tres vasos. Pide a un adulto que corte el fondo de una botella de refresco de 2 litros. Cubre uno de los vasos con la botella, como se muestra abajo, y coloca el segundo junto a la botella. Coloca el tercer vaso apartado de los otros dos y enfrente de un ventilador. *NOTA: Un ambiente seco y con corrientes de aire aumenta la evaporación.* Observa las hojas de los tres tallos cada 15 minutos durante una hora y después tan a menudo como sea posible durante 8 a 10 horas. **¡Gana puntos en la feria de ciencias!:** Exhibe dibujos de los resultados.

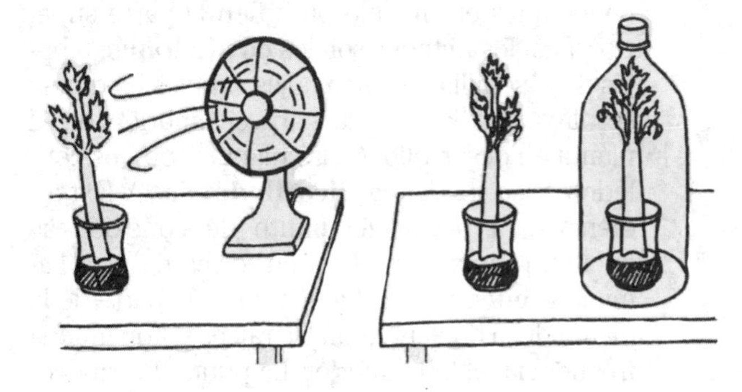

¡TE TOCA TIRAR!

1a. Para demostrar la transpiración, coloca una bolsa de plástico transparente sobre un grupo de hojas al final del tallo de un árbol o arbusto. (No cortes ni rompas el tallo de la planta.) Asegura la bolsa en el tallo con cinta adhesiva alrededor del extremo abierto de la bolsa. Observa la bolsa tan a menudo como sea posible durante dos o tres días.

b. ¿Varía la cantidad de transpiración en plantas diferentes? Repite el experimento colocando bolsas en las hojas de dos o tres tipos distintos de plantas. Procura que cada bolsa contenga más o menos la misma cantidad de área superficial de las hojas. Compara los resultados de la transpiración en cada bolsa.

2. A medida que el agua penetra en la célula, se genera una presión en el interior de ésta. A esta presión se le llama **presión de turgencia**. Como resultado de esta presión, la célula adquiere más firmeza. Una disminución de la turgencia ocasiona que los tallos de las plantas se **marchiten** (se hagan fláccidos). Haz una demostración del marchitamiento colocando un apio fresco en condición de alta turgencia en un vaso vacío. Evalúa la turgencia del apio intentando doblar el tallo. Prueba de nuevo la turgencia después de 24 horas.

¡SIGUES TIRANDO!

Cuando una planta transpira más agua de la que absorbe, ocurre un *marchitamiento temporal*. El *marchitamiento permanente* se presenta cuando se agota la provisión de agua o cuando las raíces están dañadas. ¿El marchitamiento temporal ocasiona daños a las plantas?

¡En un frijolito!

PROBLEMA

¿Qué hay en el exterior de un frijol pinto?

Materiales

- 4 a 6 frijoles pintos
- taza
- regla
- agua de la llave
- reloj
- toalla de papel

Procedimiento

1. Coloca los frijoles en la taza y cúbrelos con unos 5 cm (2 pulg) de agua.
2. Deja remojando los frijoles durante 24 horas.
3. Transcurrido ese tiempo, saca los frijoles de la taza y colócalos en una toalla de papel para absorber el exceso de agua.
4. Con la uña, quita la cubierta exterior de uno de los frijoles; observa su color y espesor.

NOTA: Guarda los otros frijoles para los dos experimentos siguientes.

Resultados

El frijol tiene en su exterior una delgada cubierta de color café claro, con manchas oscuras de formas irregulares.

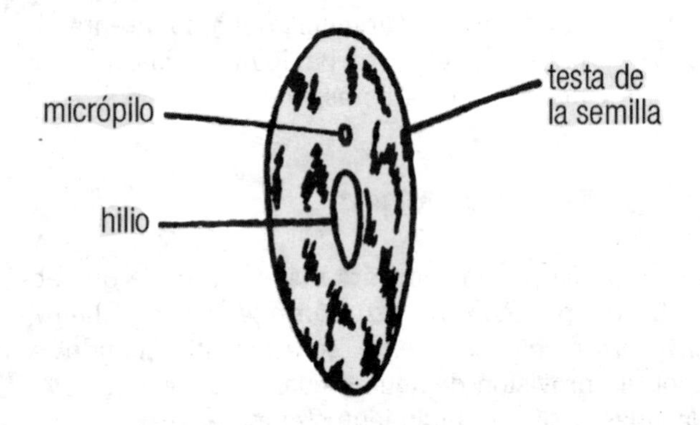

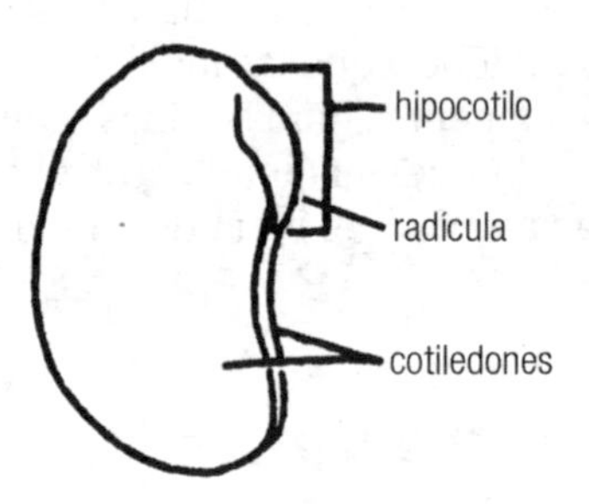

¿Por qué?

Un frijol es una **semilla**, dentro de la cual se encuentra un **embrión** (un organismo en su fase de desarrollo más temprana) rodeado por una provisión de alimento almacenado. La semilla está cubierta por una protección exterior llamada **testa de la semilla**, que la protege contra insectos, enfermedades y daños. La testa de la semilla del frijol pinto tiene una protuberancia de forma oval y de color claro llamada **hilio** y un pequeño punto, el **micrópilo**, que se encuentra en uno de los extremos del hilio.

¡EMPIEZA EL JUEGO!

1. ¿Qué hay bajo la testa de la semilla de un frijol pinto? Usa uno de los frijoles remojados. Quítale la testa de la semilla para que quede expuesta una estructura blanca con dos mitades conectadas en un solo punto en la parte superior. Las dos mitades son los **cotiledones**, u hojas de la semilla, que son hojas simples en donde se almacena la comida para el embrión de la planta en desarrollo. (A las plantas con dos cotiledones se les llama **dicotiledóneas**.) Extendiéndose a partir del punto de conexión se encuentra una estructura en forma de pico llamada **hipocotilo**. El hipocotilo es la parte de la planta de la que crecerán las raíces y, con mucha frecuencia, el tallo inferior. La punta del hipocotilo, llamada **radícula**, se desarrolla en raíces. Usa una lupa para examinar estas partes. Repite el procedimiento con otros 3 ó 4 frijoles.
2. ¿Qué hay dentro de un frijol pinto? Usa los frijoles remojados del experimento original. Qui-

ta la testa de la semilla y abre los cotiledones con la uña; después, sepáralos. Ten cuidado de no romper el hipocotilo. Con la lupa, estudia las partes dentro del embrión. El diagrama siguiente corresponde a un **brote embrionario**. (La parte de la planta que crece sobre el terreno es la que se denomina **brote**; y embrionario quiere decir que aún no está desarrollado.) Usa este diagrama para identificar las partes que componen un brote embrionario:

- **epicotilo.** La parte del embrión de una planta; se localiza arriba del hipocotilo, del que crecen el tallo, las hojas, las flores y el fruto de una planta.
- **plúmula.** La parte del embrión de una planta; se localiza en la punta del brote embrionario y se compone de varias hojas delgadas inmaduras. Estas hojas, en la madurez, forman las primeras hojas verdaderas.

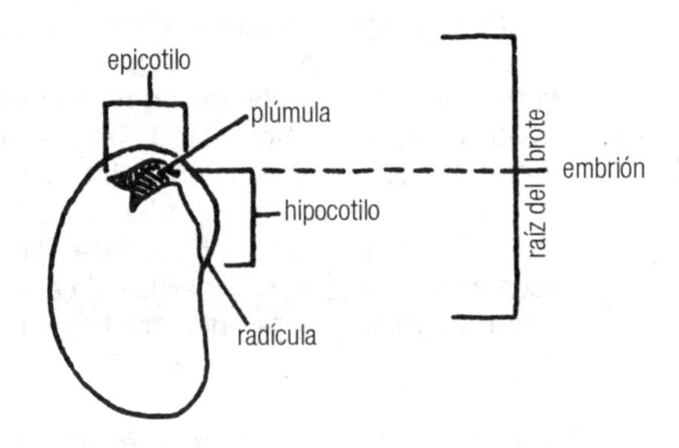

¡Gana puntos en la feria de ciencias!: Prepara un dibujo que muestre el frijol por dentro y por fuera.

3. ¿Qué hay en el interior de otros frijoles? Repite el experimento anterior usando alubias y frijoles bayos.

¡TE TOCA TIRAR!

1a. Utiliza una lupa para estudiar el hilio y el micrópilo de un frijol pinto. En un libro de biología averigua cómo se forman las características durante el desarrollo de la semilla.

b. Repite el experimento anterior utilizando otros tipos de frijol.

2. Durante la germinación (la etapa inicial del crecimiento o desarrollo) de un frijol pinto, ¿cuál es la parte del embrión que se desarrolla primero? Remoja de 30 a 40 frijoles en una taza de agua. *NOTA: Necesitarás los frijoles extras en caso de que algunos embriones estén dañados.* Dobla una toalla de papel dos veces a la mitad y colócala sobre un pliego de papel aluminio de unos 30 × 30 cm (12 × 12 pulg). Humedece la toalla con agua. Coloca todos los frijoles remojados, excepto tres, sobre la toalla de papel húmeda. Dobla el papel aluminio sobre los frijoles para mantenerlos húmedos. Abre los tres frijoles que apartaste y utiliza una lupa para observar las partes de sus embriones. Haz un diagrama que muestre los cotiledones y el embrión unido. El diagrama deberá indicar el tamaño de los cotiledones y de las partes del embrión. Durante una semana, saca cada día tres frijoles del papel aluminio y observa sus embriones. Haz otro diagrama que muestre el tamaño y localización del embrión en los cotiledones. Prepara un cartel con los dibujos para mostrar el desarrollo del embrión de los frijoles.

¡SIGUES TIRANDO!

Las diferentes testas de la semilla varían en color, espesor y textura. Algunas son uniformes y del grueso de una hoja de papel, como en el caso del frijol pinto. Sin embargo, la testa de la semilla de un coco es áspera, gruesa y dura. Una semilla no puede desarrollarse en una planta hasta que se rompe la testa de la semilla. Averigua la manera en que se rompe la testa de la semilla de diferentes plantas; busca más datos en la biblioteca de tu escuela o en una enciclopedia.

¿Artificial? Mejor solar

PROBLEMA

¿Cómo responden los brotes de semillas de cereal (gramíneas) a la luz?

Materiales

- tijeras
- regla
- caja de cartón de 45 × 30 × 22 cm (18 × 12 × 9 pulg), aproximadamente
- vaso de papel de 270 ml (9 onzas)
- tierra para macetas
- 2.5 ml (media cucharita) de semillas de cereal, como centeno, avena o trigo
- platito
- lápiz
- agua de la llave
- cinta adhesiva (*masking tape*)
- esponja
- linterna
- ayudante adulto

Procedimiento

1. Pídele a tu ayudante que recorte una abertura cuadrada de 7 cm (3 pulg) por lado en la parte superior y al centro de una de las caras laterales de la caja.
2. Llena el vaso con tierra para macetas casi hasta el borde superior.
3. Esparce las semillas de cereal en la superficie de la tierra.
4. Cubre las semillas con unos 2 ó 3 cm (1 pulg aproximadamente) de tierra.
5. Sostén el vaso encima del platito y con el lápiz haz dos agujeros opuestos en el borde inferior del vaso.
6. Coloca el vaso en el platito.
7. Humedece la tierra con agua.
8. Coloca el vaso y el platito dentro de la caja de cartón, enfrente del lado que tiene la abertura.
9. Cierra y sella perfectamente la caja con cinta adhesiva para que la luz entre sólo por la abertura.
10. Coloca la caja cerca de una ventana, con la abertura hacia la luz del sol.

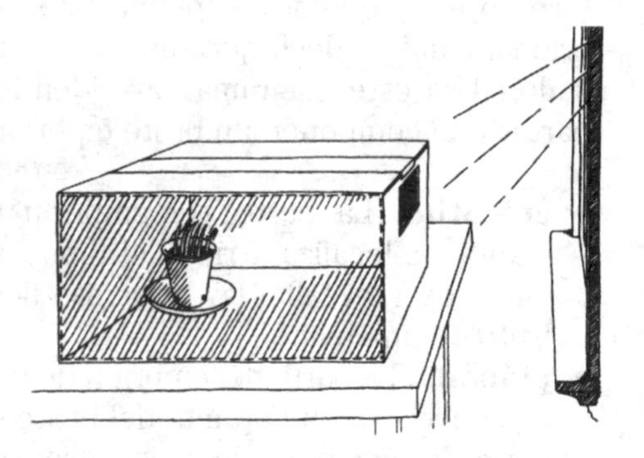

11. El vaso debe permanecer en el mismo lugar durante 21 días. Mantén húmeda la tierra a lo largo del experimento con una esponja; introduce la esponja con agua por la abertura. Exprime con cuidado la esponja sobre el vaso, sin dañar las plantas en crecimiento.
12. Realiza observaciones diarias; con este fin, voltea la caja y alumbra con la linterna por la abertura. Registra el crecimiento de las semillas. Después de hacer las observaciones, asegúrate de volver a poner la caja en su posición original, con la abertura hacia la ventana.

NOTA: Determina el número promedio de horas de luz solar que recibe la caja contando las horas entre el amanecer y el anochecer en el décimo primer día del experimento. Esta información la necesitarás en un experimento posterior.

Resultados

Las primeras señas de crecimiento aparecen entre el cuarto y el sexto días, cuando surgen de la tierra estructuras tubiformes rectas; observa que se doblan hacia la abertura de la caja. Transcurridos unos días más, surge una sola hoja en la punta de cada tubo. También los tubos y las hojas se doblan hacia la abertura.

¿Por qué?

Las semillas de cereal son **monocotiledóneas** (plantas con flores que tienen un solo cotiledón). La forma tubiforme que surge de la tierra es el **coleóptilo,** una estructura de las semillas de cereales que cubre y protege la punta del brote embrionario. Poco tiempo después, el coleóptilo detiene su crecimiento y surge la punta de la primera hoja del brote.

El coleóptilo y la hoja se doblan hacia la luz debido a la acción de una sustancia vegetal llamada **auxina.** Esta sustancia tiene la particularidad de apartarse de las fuentes luminosas. Por esta característica, cuando una planta recibe una iluminación dispareja, la auxina se acumula en el lado sombreado del tallo, lo que ocasiona que las células de ese lado de la planta crezcan más. Como resultado, la planta se dobla hacia la luz. La respuesta del crecimiento de las plantas hacia la luz es una conducta vegetal llamada **fototropismo.**

¡EMPIEZA EL JUEGO!

1. ¿La luz artificial afectaría los resultados? Repite el experimento, pero en lugar de poner la caja cerca de una ventana, coloca una lámpara de escritorio a 30 cm (12 pulg) de la abertura de la caja. Enciende la lámpara todos los días el mismo número de horas que calculaste como promedio de las horas de luz solar que recibió diariamente la planta en el experimento original.
2. Investiga si manifiestan la misma conducta otros **brotes** (plantas jóvenes desarrolladas de semillas). Repite el experimento original utilizando ahora granos de maíz. Un grano de maíz contiene la semilla de una monocotiledónea.

3. ¿De qué manera responden los brotes de las dicotiledóneas a la luz natural? Repite el experimento original usando semillas de dicotiledóneas, como el frijol pinto. Conserva los brotes para el experimento siguiente. **¡Gana puntos en la feria de ciencias!:** Prepara diagramas que representen los resultados de cada experimento.

¡TE TOCA TIRAR!

1. ¿Qué tanto se doblan los tallos de las plantas en respuesta a la luz? Coloca los brotes de frijol del experimento anterior en una caja alta que tenga la abertura cerca de la parte inferior de uno de los costados. Coloca el vaso con los brotes sobre un objeto, como un frasco, de tal modo que las plantas toquen la cara interior de la tapa de la caja. Sella perfectamente la caja con cinta adhesiva. Cada 7 días de un total de 21, abre la caja y observa la posición de los tallos y las hojas de las plantas. Mientras haces tus observaciones, humedece la tierra si está seca. Toma fotografías y haz diagramas de las plantas para representar los resultados.
2. El **fototropismo positivo** es el crecimiento hacia la luz y el **fototropismo negativo** es el crecimiento apartándose de la luz. ¿Los tallos y hojas de plantas maduras manifiestan fototropismo positivo o negativo? Dile a un adulto que te consiga una maceta con una planta pequeña. También pídele que le quite la tapa y uno de los lados a una caja que tenga la misma altura que la planta; conserva la tapa para usarla como cubierta. Coloca la planta en la caja. Sujeta un hilo a lo largo del extremo superior del lado recortado de la caja. Fija con cinta una regla graduada en el borde superior de uno de los costados de la caja; uno de los extremos de la regla debe coincidir con una de las puntas del hilo. Coloca la caja cerca de una ventana de tal modo que el lado recortado quede hacia la ventana. Pon la cubierta en la caja. Diariamente, durante 21 días, quita la cubierta y toma fotografías de la planta desde la misma posición; al mismo tiempo, mide y registra la distancia de las hojas a la cuerda para determinar el fototropismo. Repite el experimento con otro tipo de planta.

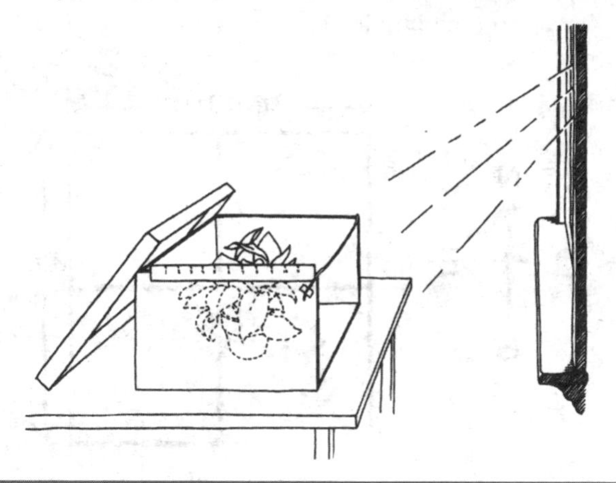

¿Qué encontraste?

PROBLEMA

¿Cómo puede prepararse una parcela para un muestreo ecológico?

Materiales

- brújula
- cinta métrica
- 9 lápices con punta
- tijeras
- 25 m (25 yardas) de cordel

Procedimiento

1. Selecciona un área de estudio que presente una variedad de vida vegetal. Puede ser un bosque, un campo abierto o el jardín de tu casa.
2. Usa la brújula para localizar el Norte.
3. Mide con la cinta métrica un área cuadrada de 3 m (10 pies) de lado, que quede orientada hacia los cuatro puntos cardinales.
4. Clava un lápiz en cada una de las cuatro esquinas de la parcela; cada lápiz debe sobresalir unos 12 cm (5 pulg).
5. Utiliza la cinta métrica para dividir cada lado de la parcela en secciones de 1.5 m (5 pies).
6. Clava un lápiz en cada intervalo de 1.5 m (5 pies) en los cuatro lados de la parcela. Coloca otro lápiz en el centro de la parcela.
7. Usa las tijeras y el cordel para unir los lápices adyacentes; divide la parcela en cuatro subparcelas iguales.

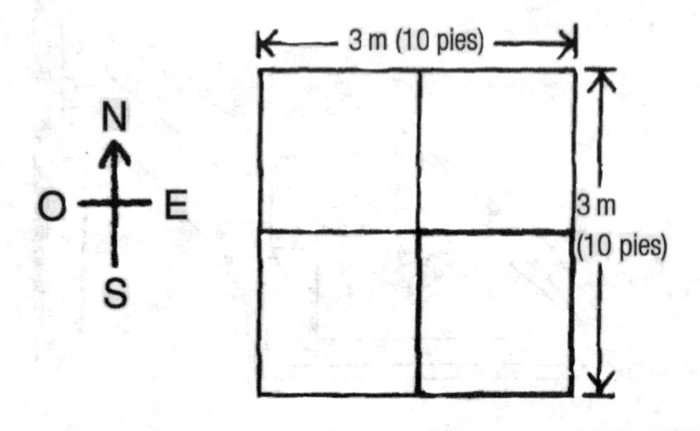

Resultados

Se selecciona, mide y subdivide una porción de terreno como parcela de muestreo de un ecosistema. Un **ecosistema** es un área diferenciada que combina comunidades **bióticas** (vivientes) y el ambiente **abiótico** (no viviente), con el que interactúan.

¿Por qué?

Resultaría difícil, si no imposible, estudiar cada una de las partes de un ecosistema. La parcela de muestreo proporciona una parte pequeña de un ecosistema que puede estudiarse en detalle. La información separada tomada de cada subparcela y estudiada como un todo proporciona un panorama claro de la **comunidad ecológica** (interacción de los organismos vivos con su medio natural) dentro de la parcela completa. Esta información te proporciona pistas del ecosistema circundante. Sin embargo, para obtener información más precisa, debes seguir el ejemplo de los **ecologistas** (científicos que estudian los organismos y su medio natural) y estudiar más parcelas. Estas parcelas deben seleccionarse al azar en diferentes lugares del ecosistema.

¡EMPIEZA EL JUEGO!

El suelo, caminos, rocas, objetos diversos, temperatura, etc., son las características abióticas, mientras que las plantas, animales e insectos son las características bióticas. ¿Las características son las mismas en cada subparcela? Haz un dibujo de cada subparcela y numéralas del 1 al 4. Diseña una manera de anotar el número y tamaño de las características prominentes, tales como animales, rocas, árboles, veredas, áreas abiertas y áreas que muestren el desgaste de la superficie de la tierra, generalmente por el viento o el agua, o sea la **erosión**, etc. Utiliza un termómetro para determinar la temperatura en diferentes lugares de cada subparcela. **¡Gana puntos en la feria de ciencias!:** Coloca los dibujos como parte del módulo de exhibición del proyecto.

¡TE TOCA TIRAR!

1. Recoge muestras de hojas de las plantas de la parcela. Utilizando guías de campo, identifica cada tipo de planta presente. Toma fotografías de las plantas junto con muestras preservadas. Las plantas pueden preservarse por desecación, utilizando cualquiera de los tres métodos que se presentan a continuación.

- Ata los tallos de un manojo de plantas y cuélgalos de cabeza.
- Deseca flores completas colocándolas en un frasco que tenga de 1 a 3 cm ($\frac{1}{2}$ a 1 pulg aproximadamente) más de espacio en relación con las dimensiones de la planta. Como primer paso, vierte una capa de 2 a 5 cm (1 a 2 pulg) de bórax en polvo en el frasco. Luego mete la planta en el frasco y llénalo con bórax. Deja el frasco sin moverlo durante una semana. Transcurrido ese tiempo, saca la flor y sacude con cuidado el bórax de los pétalos. La mejor manera de exhibir estas plantas desecadas es colocarlas dentro de un frasco de plástico transparente que tenga tapa. Rotula el frasco con el nombre de cada planta. Si se gira el frasco pueden verse todos los lados de la planta sin dañarla.
- Otro método de preservar plantas es prensándolas. Para prensar una planta, coloca varias hojas de periódico sobre una mesa que no se use mucho. Pon una cartulina blanca en el centro de los periódicos. Acomoda una planta en la cartulina de tal modo que las hojas y flores queden hacia arriba. Presiona con cuidado cada parte de la planta para que quede en su posición. Cubre la planta con una segunda cartulina blanca y ponle encima varias hojas de periódico. Apila varios libros encima de los periódicos. Después de 3 a 4 semanas, retira los libros, los periódicos y la cartulina de encima. La planta prensada deberá estar pegada a la cartulina de abajo, pero si no es así, agrega una gota de pegamento en la parte posterior de las flores, hojas y tallos para fijarlos en la cartulina.

2. Recoge insectos de la parcela. Construye una red para insectos doblando un gancho de ropa en forma de aro. Sujeta al aro una malla delgada (o bien la funda de una almohada). Fija el aro en un palo de escoba. Recorre la subparcela 1 en línea recta, moviendo la red hacia adelante y hacia atrás conforme camines. Cierra la red; vacía su contenido en un frasco y cúbrelo con una media. Rotula el frasco "Subparcela 1". Recoge insectos de las otras tres subparcelas. Utiliza una guía de campo para identificar los tipos de insectos que encontraste en cada subparcela y registra cuántos encontraste de cada tipo. Toma fotografías de cada frasco con los insectos; después, libéralos en donde los atrapaste. Exhibe las fotografías.

3. Haz moldes de cualquier huella de animal en cada subparcela. Para esto, vacía yeso en las huellas. Mezcla el yeso siguiendo las instrucciones del empaque. Usa los moldes como parte del módulo de exhibición del proyecto.

¡SIGUES TIRANDO!

Se llama *bioma* a un ecosistema que abarca un área geográfica considerable donde viven plantas de un tipo debido al clima específico de la región. ¿Cuáles son los cinco biomas básicos? Encuentra más información acerca de los biomas en la obra de Janice VanCleave, *Ecología para niños y jóvenes* (México: Editorial Limusa).

Pasto a la carta

PROBLEMA

¿Cómo vuelve a crecer el pasto después de que los animales se lo comen y lo dejan al ras del suelo?

Materiales

- tierra para macetas
- vaso de papel de 270 ml (9 onzas)
- palita de jardinero
- cuadro de pasto
- lápiz
- platito
- agua de la llave
- regla
- plumón

Procedimiento

1. Pon la tierra en el vaso.
2. Con el permiso de un adulto, usa la palita de jardinero para sacar un cuadro de pasto que quepa en el vaso de papel. Escoge un cuadro que tenga por lo menos tres tallos de pasto y asegúrate de sacar la mayor parte posible de sus raíces.
3. Planta el pasto en el vaso.
4. Con el lápiz, perfora tres o cuatro agujeros alrededor del vaso, cerca del fondo.
5. Coloca el vaso en el platito.
6. Riega la tierra y mantenla húmeda, pero no empapada, durante el experimento.
7. Usa el diagrama para localizar en los tallos cada codito o **nudo** (un empalme en el tallo de una planta donde por lo general se agrega una hoja) y su correspondiente **entrenudos** (la porción entre dos nudos consecutivos).
8. Usa la regla y el plumón para marcar tres secciones iguales en el primer entrenudos (el que está hasta arriba del tallo).
9. Repite el paso 8 con los otros dos tallos, marcando el segundo y tercer par de nudos más altos, respectivamente.
10. Coloca la planta en un área donde reciba la luz del sol durante todo el día o la mayor parte de él.
11. Al término de 7 días, mide la distancia entre las marcas de los tallos.

Resultados

En cada entrenudos, la distancia entre el nudo inferior y la primera marca arriba de este nudo es la que más aumenta en todos los tallos. Cualquier aumento de la distancia entre las demás marcas es pequeño o nulo, conforme las marcas se acercan al nudo superior.

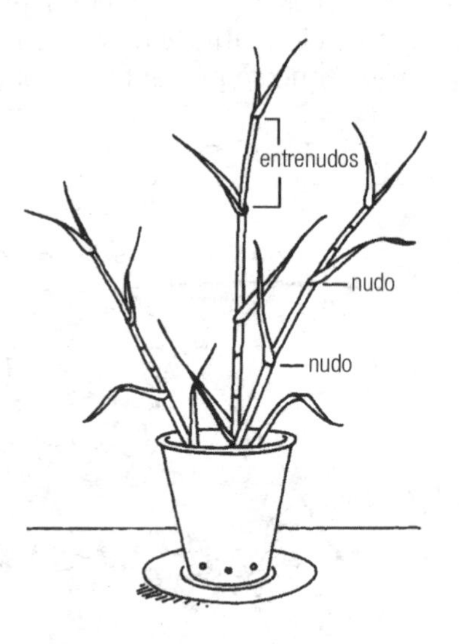

¿Por qué?

Los tallos verticales del pasto se llaman **cañas**. Estos tallos están formados por dos partes: nudos y entrenudos. Los nudos son los empalmes sólidos donde generalmente crecen las hojas. Los entrenudos, o porciones entre los nudos, suelen ser huecos, aunque pueden ser **medulosos** (suaves y esponjosos) o de tejido sólido. En general, los tallos de las plantas dicotiledóneas crecen en sus puntas. Pero los tallos de muchas monocotiledóneas, como los pastos y los cereales, crecen justo encima de cada nudo del tallo. Por esa razón, aun cuando se corte la porción superior del tallo del pasto, su parte inferior continúa creciendo. Este tipo de crecimiento permite que sobreviva el pasto, aunque los animales se lo coman hasta dejarlo al ras del suelo.

¡EMPIEZA EL JUEGO!

Determina si existe alguna diferencia en la cantidad de crecimiento en diferentes entrenudos del tallo de un mismo tallo de pasto y los entrenudos de otros pastos. Repite el experimento midiendo y registrando la longitud de los tres o más entrenudos en cada uno de los tallos. Registra las longitudes inicial y final de cada entrenudos en todos los tallos; prepara una tabla similar a la que se muestra en la página siguiente. Usa la ecuación y el ejemplo siguientes para determinar la cantidad de crecimiento de cada entrenudos.

crecimiento = longitud final – longitud inicial
= 15 cm – 10 cm (6 pulg) – (4 pulg)
= 5 cm (2 pulg)

TALLO DE PASTO # 1

Entrenudos número	Longitud inicial	Longitud final	Crecimiento
1	10 cm (4 pulg)	15 cm (6 pulg)	5 cm (2 pulg)

¡TE TOCA TIRAR!

1a. Aplica los pasos siguientes a fin de hacer un modelo que muestre qué animales pastan en las praderas del este de África y las diferentes partes del pasto que se comen.

- Dobla dos hojas de papel carta a lo largo.
- Desdobla las hojas y dóblalas dos veces por la mitad a lo ancho.
- Desdobla una de las hojas. En la parte izquierda, dibuja o pega ilustraciones de una cebra, un ñu y una gacela Thomson. Los animales deben quedar en el orden indicado. En la sección inferior izquierda agrega el letrero "Animales que comen paso de la pradera tropical".

cebra	
ñu	
gacela Thomson	
Animales que comen pasto de la pradera tropical	

- Desdobla la otra hoja de papel y traza con regla y pluma una línea a lo largo de cada uno de los tres dobleces paralelos. Haz las líneas punteadas a la izquierda del doblez central y traza tres líneas continuas a la derecha de este doblez.
- Pon el letrero "Guía de animales que comen pasto" en la sección inferior izquierda, numera las tres secciones que están arriba de este rótulo y dibuja una planta de pasto en el lado derecho del doblez central, como se muestra en la ilustración.
- Recorta las líneas punteadas para que cada sección numerada quede como solapa móvil. Empezando con la solapa 1, escribe abajo de las solapas "Come puntas", "Come en medio" y "Come base".

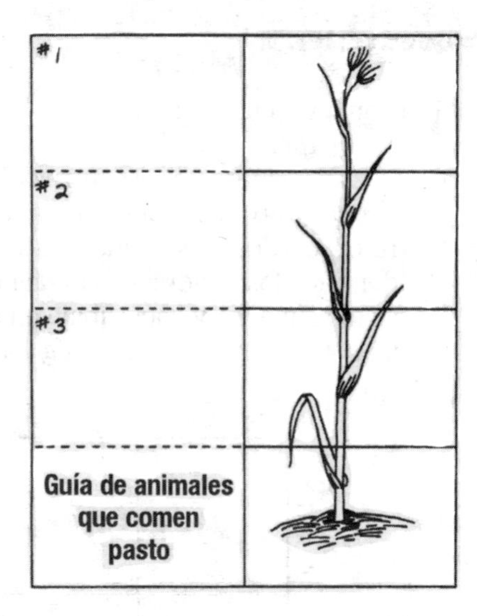

- Coloca esta hoja sobre la que tiene los dibujos de los animales y ponles cinta adhesiva en la parte superior, en la inferior y en el borde de la mitad derecha de la guía.

b. En las praderas hay muchas clases de animales que se alimentan de pasto. Averigua más acerca de los animales que comen pasto. Usa la guía que preparaste para explicar la forma en que estos animales se comen diferentes partes de la planta.

Se necesitan dos

PROBLEMA

¿Cómo se predice con un cuadro de Punnett las posibles combinaciones de genes?

Materiales

- plumón
- regla
- papel para escribir

Procedimiento

1. Dibuja un cuadrado de 5 cm (2 pulg) por lado en el papel.
2. Traza dos líneas por el centro del cuadrado, una vertical y otra horizontal, para dividirlo en cuatro cuadrados más pequeños.
3. Identifica los cuadrados con las letras *E* y *e* en el lado superior y hacia abajo en el lado izquierdo, como se muestra en la figura.

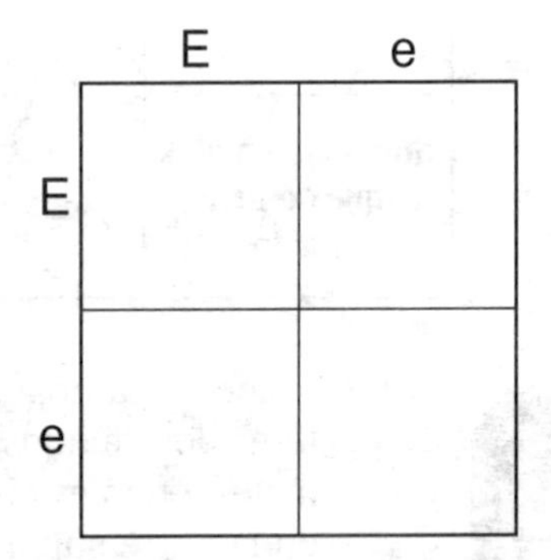

4. Dentro de cada uno de los cuadrados pequeños, escribe las letras que aparecen arriba y a la izquierda del cuadrado, anotando la mayúscula primero.

Resultados

Hay tres combinaciones diferentes de letras en los cuadros: *EE*, *Ee* y *ee*.

¿Por qué?

Las combinaciones de letras representan las combinaciones de genes. Los **genes** determinan los rasgos que se heredan; se localizan en los **cromosomas** (estructuras filiformes que llevan información para hacer funcionar la célula, de forma muy parecida a un programa de computadora). El color del cabello, el color de los ojos y la altura son algunos de los **rasgos** o características que ayudan a identificar a los organismos vivos. Por cada rasgo heredado, el hijo tiene dos genes, uno del padre y uno de la madre. Al gen que determina el rasgo se le llama **gen dominante**, representado por una mayúscula. El otro gen, llamado **gen recesivo**, se representa con una letra minúscula. Si ambos genes son dominantes, o bien recesivos, al rasgo se le llama **rasgo puro**. Si sólo uno de los genes es dominante, se dice que la combinación es un **rasgo híbrido**. Las combinaciones de genes se escriben con el gen dominante primero, representado por una letra mayúscula.

En esta actividad usarás un **cuadro de Punnett** para mostrar todas las combinaciones posibles de genes que pueden transferirse de padres a hijos para el rasgo del lóbulo de la oreja pegado o despegado. *E* representa el gen dominante de los lóbulos despegados y *e* representa el gen recesivo de los lóbulos pegados. Debido a que los lóbulos despegados son dominantes, la combinación *EE* es un rasgo puro de lóbulos despegados, mientras que *Ee* es un híbrido de lóbulos despegados. Ambos padres tienen el híbrido, como lo indican la *E* y la *e* tanto arriba como al lado del cuadrado grande. Tres de los cuadrados pequeños muestran combinaciones —*EE*, *Ee* y *Ee*— que darían los lóbu-

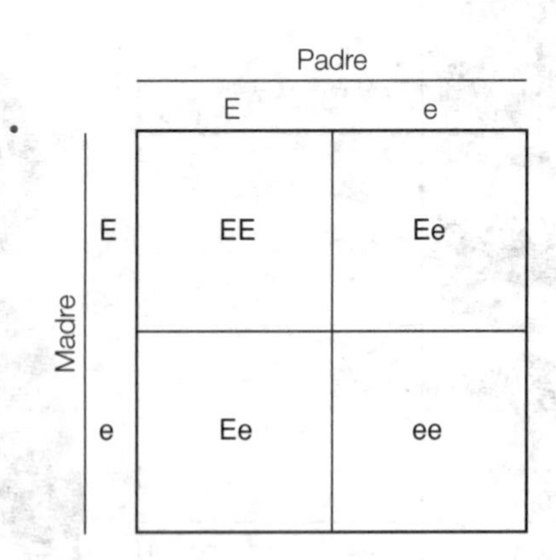

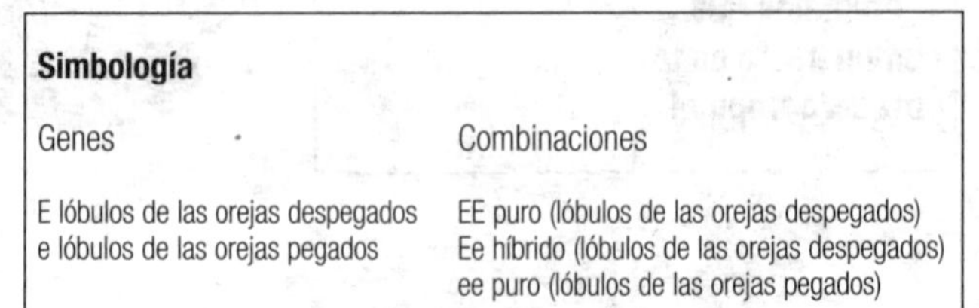

Simbología

Genes	Combinaciones
E lóbulos de las orejas despegados	EE puro (lóbulos de las orejas despegados)
e lóbulos de las orejas pegados	Ee híbrido (lóbulos de las orejas despegados)
	ee puro (lóbulos de las orejas pegados)

los despegados del hijo. El cuarto cuadrado muestra la combinación *ee*, que daría los lóbulos pegados del hijo, un rasgo puro determinado por genes recesivos.

¡EMPIEZA EL JUEGO!

¿Cuáles son las combinaciones posibles si uno de los padres tiene genes de rasgos puros (*EE*) y el otro tiene genes híbridos (*Ee*)? Repite la actividad utilizando las letras *E* y *E* en la parte de arriba y *E* y *e* en el lado izquierdo. **¡Gana puntos en la feria de ciencias!:** Usa cuadros de Punnett como parte del módulo de exhibición del proyecto.

¡TE TOCA TIRAR!

1. Aun cuando el cuadro de Punnett muestra las combinaciones posibles, no puede utilizarse para predecir lo que ocurrirá realmente si los mismos padres tienen cuatro hijos. Pero pueden usarse monedas para mostrar la manera en que el azar afecta la **herencia** (la transmisión de rasgos de padres a hijos). Pega una pieza de cinta adhesiva en cada lado de dos monedas. Toma una de las monedas y escribe una *E* mayúscula en una de las caras y una *e* minúscula en la otra; repite lo mismo con la otra moneda.

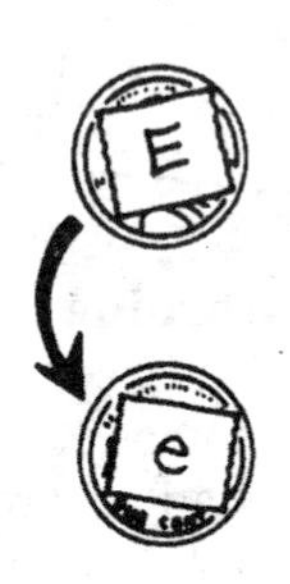

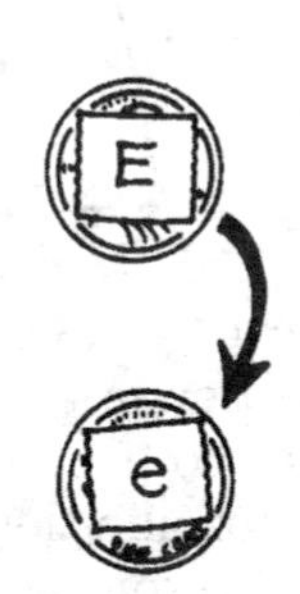

   Extiende una toalla pequeña en una mesa. Pon las dos monedas en tus manos y muévelas varias veces, con rapidez; después, lanza las dos monedas sobre la toalla. *NOTA: La toalla evita que las monedas rueden fuera de la mesa.* Prepara un diagrama como el que se muestra para registrar las combinaciones de letras. Lanza las monedas tres veces más, registrando cada combinación de letras. Compara las cuatro combinaciones con las del cuadro de Punnett del experimento original.
2. Repite dos veces el experimento anterior utilizando diferentes combinaciones de genes para el padre y la madre. Elabora un diagrama como el anterior para registrar los resultados de cada experimento. Usa primero un rasgo puro de genes dominantes (*EE*) y uno híbrido (*Ee*); después, un rasgo puro de genes recesivos (*ee*) y uno híbrido (*Ee*). Elabora un cuadro de Punnett para cada combinación de genes. Utiliza los diagramas y los cuadros de Punnett como parte del módulo de exhibición del proyecto.

3. ¿En qué eres parecido o diferente a cada uno de tus padres? Examina algunos de tus rasgos genéticos y los rasgos genéticos de tus padres. Diseña y elabora un diagrama que muestre la presencia o ausencia de los rasgos que examinaste. Los posibles rasgos a buscar son ser derecho o zurdo, color de los ojos, hoyuelos en las mejillas, pecas, lóbulos de las orejas (pegados o despegados) y la forma de los ojos (redondos o alargados). Utiliza los resultados para preparar una presentación escrita y oral. Ofrece pruebas de que no recibiste todos tus genes de sólo uno de tus padres.

¡SIGUES TIRANDO!

Los *rasgos hereditarios* son aquellos que se transmiten de padres a hijos. Para tener más información acerca de la herencia, consulta las páginas 193-201 de *Anatomía para niños y jóvenes*, de Janice VanCleave (México: Editorial Limusa).

¿Niño o niña?

PROBLEMA

¿Cuáles son las combinaciones de cromosomas que producen un niño o una niña?

Materiales

- cinta adhesiva (*masking tape*)
- plumón
- 2 tazas
- 3 frijoles blancos
- 1 frijol negro
- compás
- hoja de papel carta

Procedimiento

1. Usa la cinta y el plumón para rotular una taza "Óvulos" y la otra "Espermatozoide".
2. Coloca 2 frijoles blancos en la taza rotulada "Óvulos" y 1 frijol blanco en la rotulada "Espermatozoide".
3. Agrega el frijol negro en la taza con la etiqueta "Espermatozoide".
4. Coloca las tazas en una mesa.
5. Traza con el compás dos círculos de 5 cm (2 pulg) de diámetro en la hoja de papel.
6. Coloca el papel en la mesa cerca de las tazas.
7. Sin mirar dentro de las tazas, saca un frijol de cada una y pon los dos frijoles en uno de los círculos.
8. Repite el paso 7, colocando los frijoles en el otro círculo.

Resultados

En cada círculo hay dos frijoles. En un círculo hay dos frijoles blancos y en el otro hay uno blanco y uno negro.

¿Por qué?

El sexo de un recién nacido lo determinan dos series de instrucciones. Estas instrucciones se encuentran en los cromosomas sexuales, conocidos como X y Y. Las mujeres tienen dos cromosomas X y los hombres tienen uno X y uno Y. El **óvulo** (célula sexual femenina, o huevo) y el **espermatozoide** (célula sexual masculina) tienen un cromosoma sexual cada uno. Los óvulos sólo tienen cromosomas X, mientras que el espermatozoide tiene la mitad de cromosomas X y la mitad de cromosomas Y. A la unión de un óvulo y un espermatozoide se le llama **fecundación** y el óvulo o huevo fecundado se llama **cigoto**. Si un óvulo es fecundado por un espermatozoide que lleva un cromosoma Y, la combinación XY produce un niño. Si el óvulo es fecundado por un espermatozoide que lleva un cromosoma X, la combinación XX produce una niña.

Los frijoles blancos de este experimento representan los cromosomas X y el frijol negro un cromosoma Y. La combinación de dos frijoles blancos indica una niña y la combinación blanco y negro, un niño. El cromosoma sexual del espermatozoide determina el sexo del recién nacido. Las combinaciones de los frijoles en el experimento representan un niño y una niña.

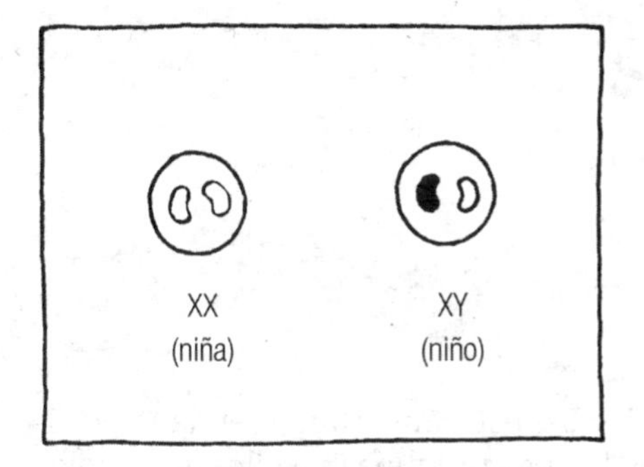

¡EMPIEZA EL JUEGO!

¿La probabilidad de que un recién nacido sea niño o niña es siempre 50-50? Si tres familias tienen cuatro niños cada una, ¿cada familia tendrá dos hombres y dos mujeres? Repite el experimento colocando 12 frijoles blancos en la taza de los óvulos. Puesto que por lo general hay un solo huevo y gran cantidad de espermatozoides, coloca 12 frijoles blancos y 12 negros en la taza con el rótulo de "Espermatozoide". Traza 12 círculos en una hoja de papel ilustración como se muestra en el diagrama. Saca un frijol de cada taza y coloca los pares en uno de los círculos. Llena los cuatro círculos de la primera familia, luego llena los correspondientes a las otras dos familias. **¡Gana puntos en la feria de ciencias!:** Pega los frijoles en el papel ilustración y registra cuántos hombres (XY) y mujeres (XX) hay en cada familia. Prepara una simbología. Usa el papel ilustración y la simbología como parte del módulo de exhibición del proyecto.

Familia	Niños	H	M
1	○ ○ ○ ○		
2	○ ○ ○ ○		
3	○ ○ ○ ○		

¡TE TOCA TIRAR!

¿La probabilidad de tener un niño o una niña sería 50-50 si hubiera más hijos? Utiliza una pluma, una regla y papel para elaborar una tabla que contenga los datos de 15 familias, como la que se muestra a continuación.

PROBABILIDAD DE TENER UN NIÑO O UNA NIÑA		
Familia	**Caras (niñas)**	**Cruces (niños)**
1		
2		
3		
4		
...		
15		
Totales		

Extiende una toalla pequeña en una mesa. Pon seis monedas en tus manos y muévelas con rapidez; después, lanza todas las monedas sobre la toalla. *NOTA: la toalla evitará que las monedas rueden fuera de la mesa.* Cuenta el número de caras y de cruces y anota los números en las columnas de la familia 1. Arroja las monedas 14 veces más, registrando los resultados correspondientes a cada familia. Usa los resultados para determinar si cada una de las 15 familias presenta una **proporción** (comparación numérica de dos valores diferentes) de exactamente la mitad de niños y niñas. ¿El número total de niños y niñas de todas las familias presenta una proporción de 50-50?

¡SIGUES TIRANDO!

Averigua más acerca de la fecundación en los seres humanos. ¿Dónde ocurre? ¿Dónde se producen los óvulos y los espermatozoides? Para mayor información, consulta las páginas 184-188 de *Anatomía para niños y jóvenes,* de Janice VanCleave (México: Editorial Limusa).

Jardín flotante

PROBLEMA

¿Cómo puedes cultivar el moho penicillium?

Materiales

- frasco de alimento para bebés
- líquido para lavar trastes
- agua de la llave tibia
- jugo de manzana
- lupa

Procedimiento

ADVERTENCIA: Después de realizar los experimentos de este capítulo, tira todos los mohos y los alimentos en los que hayan crecido. ESCOGE OTRO PROYECTO SI ERES ALÉRGICO AL MOHO.

1. Lava el frasco con agua de jabón tibia y enjuágalo con agua tibia.
2. Llena el frasco con jugo de manzana.
3. Coloca el frasco sin tapa en un sitio oscuro y de temperatura templada.
4. Durante dos semanas, realiza observaciones diarias con la lupa de la superficie del jugo.

Resultados

Después de unos días, estarán flotando en la superficie del jugo unas formas redondas y vellosas de color verde azulado. Estos crecimientos parecen lirios que flotan. Con el tiempo, los crecimientos cubrirán toda la superficie del líquido.

¿Por qué?

El crecimiento velloso en la superficie del jugo de manzana es el moho ***penicillium***. (Un **moho** es el crecimiento velloso de un hongo que surge en alimentos y en superficies húmedas.) El tiempo que le tome crecer al *penicillium* depende de la temperatura del ambiente. En una habitación templada los signos de crecimiento pueden aparecer en 2 ó 3 días. El color verde azulado y la apariencia vellosa son causados por la producción de **esporas** (cuerpos unicelulares que tienen la capacidad de desarrollarse en nuevos organismos). El *penicillium* es un hongo común. Los **hongos** son organismos simples parecidos a plantas que no pueden elaborar sus propios alimentos. Las esporas de *penicillium* se producen en las puntas de partes filiformes llamadas **hifas**; estas partes forman la base del cojincillo flotante. A la masa enmarañada de hifas se le llama **micelio**.

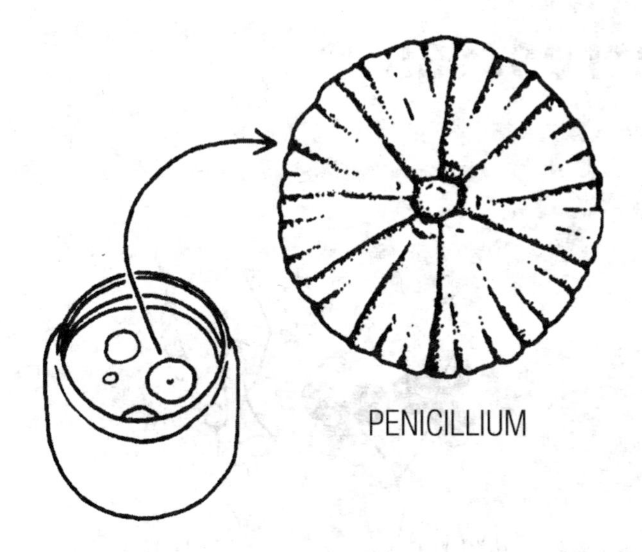

OBSERVACIÓN CON UN MICROSCOPIO

Procedimiento de la observación

1. Recoge una muestra del moho pasando un pincel pequeño por la superficie del moho.
2. Sacude el pincel con golpecitos repetidos sobre un portaobjetos limpio.
3. Observa el portaobjetos con la lente de pocos aumentos.
4. Ajusta el espejo o la luz situada abajo del portaobjetos para tener la mayor iluminación posible.
5. Mueve el portaobjetos para observar diferentes áreas.

Resultados de la observación

Se observan masas y manchas oscuras así como estructuras filiformes en el campo visual.

¡EMPIEZA EL JUEGO!

1. ¿Crecerá el *penicillium* en un frasco cerrado? Repite el experimento original colocando la tapa en el frasco.
2. ¿Afecta el tipo de jugo de fruta los resultados? Repite el experimento original usando otros jugos de frutas como el de arándano, uva y cereza.

¡TE TOCA TIRAR!

1a. Cultiva un moho colocando un trozo de pan en una bolsa de plástico que pueda cerrarse. Agrega 10 gotas de agua en el interior de la bolsa. Cierra la bolsa y colócala en un sitio oscuro y templado durante 10 días. Utiliza una lupa para observar la superficie del pan diariamente y localizar signos de moho. Haz diagramas en color de tus observaciones.

b. Al término de 10 días, pídele a un adulto que corte una rebanada delgada del pan. Coloca la rebanada en un portaobjetos. Mueve lentamente el portaobjetos mientras observas el pan bajo una lente de pocos aumentos, con el portaobjetos iluminado intensamente desde arriba con una lámpara de escritorio. Haz un diagrama en color de tus observaciones con el microscopio para exhibirlo junto con los diagramas del moho del pan observado con la lupa.

¡SIGUES TIRANDO!

El *penicillium* se usa para hacer la penicilina. Además de sus fines medicinales, se utiliza para hacer quesos como el Roquefort, también llamado queso azul por la gran cantidad de esporas presentes. Averigua más acerca del *penicillium* y otros mohos. ¿Qué es un antibiótico? ¿Cómo descubrió el científico inglés Sir Alexander Fleming (1881-1955) que el *penicillium* tenía propiedades antibióticas? ¿Cuáles son otros usos útiles de los mohos? ¿Cuándo son dañinos los mohos?

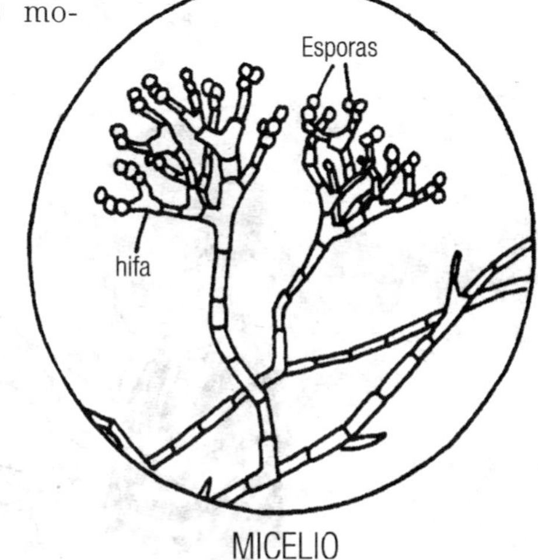

Perlas terrestres

PROBLEMA

¿De qué manera contribuyen las bacterias en la vida de un trébol?

Materiales

- palita de jardinero
- trébol
- cubeta de plástico de 1 litro (1 cuarto de galón)
- agua de la llave
- 2 toallas de papel
- lupa

Procedimiento

1. Con cuidado, usa la palita de jardinero para sacar una mata de tréboles. Asegúrate de sacar lo más que puedas de las raíces.
2. Llena la mitad de la cubeta con agua.
3. Mete y saca las raíces del trébol en la cubeta hasta que queden sin tierra.
4. Coloca la planta húmeda en una toalla de papel. Seca la planta con la otra toalla de papel para que absorba cualquier exceso de agua.
5. Estudia con atención las raíces de la planta con la lupa. Encuentra las protuberancias redondeadas que están en las raíces. A estas protuberancias se les llama **nódulos**.

Resultados

Los pequeños nódulos, como papas diminutas, parecen crecer en las raíces. Algunos de estos nódulos están separados y aparecen en diferentes sitios a lo largo de las raíces; sin embargo, la mayoría de ellos están agrupados en racimos en la parte superior de las raíces.

¿Por qué?

Para vivir, las plantas necesitan los compuestos nitrogenados que se encuentran en el suelo. El gas nitrógeno constituye el 78 por ciento de la atmósfera de la Tierra, pero las plantas no pueden usar esta forma de nitrógeno. Las bacterias llamadas **bacterias fijadoras de nitrógeno** cambian el gas nitrógeno en compuestos nitrogenados que las plantas pueden aprovechar. Algunas bacterias fijadoras de nitrógeno viven en el suelo, mientras que otras viven en las raíces de plantas, como en el caso del trébol. Las bacterias penetran en las raicillas de la planta y cuando se multiplican se forma un nódulo. Es así como las bacterias y el trébol se ayudan mutuamente. Las bacterias "fijan" el gas nitrógeno de tal manera que la planta pueda aprovecharlo y la planta proporciona alimento a las bacterias. Éste es un ejemplo de **simbiosis**, una relación en la que dos organismos que viven juntos se benefician mutuamente.

OBSERVACIÓN CON UN MICROSCOPIO

Procedimiento de la observación

1. Utiliza unas tijeras para cortar una sección de 1.5 cm (1/2 pulg) de largo de una de las raíces más pequeñas; la sección debe tener al menos un nódulo.
2. Coloca la sección de la raíz en el portaobjetos del microscopio.
3. Coloca una lámpara de escritorio de tal modo que el portaobjetos reciba una iluminación intensa desde arriba.
4. Ajusta el espejo o la luz situada abajo de la platina para producir un fondo oscuro en el campo visual.
5. Mueve el portaobjetos lentamente mientras lo observas con una lente de pocos aumentos.

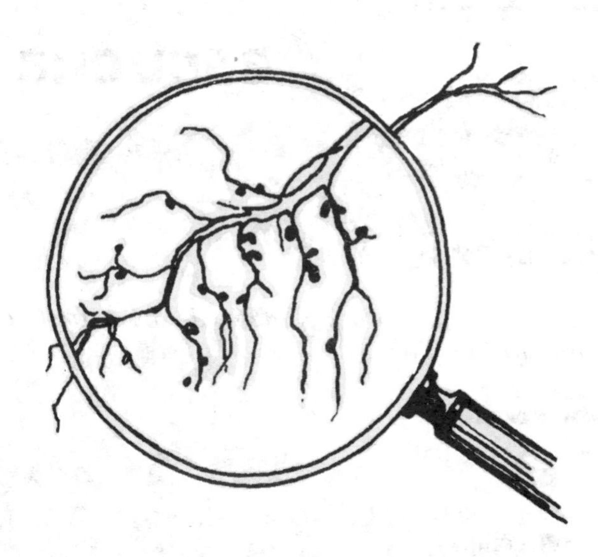

Resultados de la observación

La superficie exterior de los nódulos luce rugosa y dispareja, mientras que la raíz tiene una apariencia más uniforme.

¡EMPIEZA EL JUEGO!

1. ¿Los nódulos son huecos? Pídele a un adulto que corte un nódulo a la mitad. Examina con la lupa el contenido del nódulo.
2. Coloca el nódulo abierto en el portaobjetos y sigue el mismo procedimiento anterior para examinarlo. ¡**Gana puntos en la feria de ciencias**!: Utiliza fotografías de los nódulos del trébol, junto con diagramas de las imágenes vistas a través del microscopio, como parte del módulo de exhibición del proyecto.

¡TE TOCA TIRAR!

Los seres humanos se limitan a imitar a la naturaleza cuando reciclan recursos. Los elementos que son importantes para la vida, como el nitrógeno, se reciclan de manera natural. El nitrógeno se encuentra en el aire, en el suelo y en todos los seres vivos. Busca en un libro de biología un diagrama del ciclo del nitrógeno. Elabora un diagrama de exhibición del ciclo del nitrógeno. Toma fotos de las plantas y los animales que necesitarás en el diagrama y coloca las fotografías en lugar de dibujos.

Y escucha los latidos...

PROBLEMA

¿Por qué el latido del corazón de los mamíferos emite un sonido?

Materiales

- tijeras
- pegamento
- compás
- cartulina
- carrete de hilo grande
- cronómetro
- lápiz
- cinta adhesiva transparente

Procedimiento

1. Recorta y pega un círculo de cartulina para cubrir ambos extremos del carrete de hilo. Deja secar el pegamento durante varias horas.
2. Utiliza un lápiz para hacer una perforación en cada círculo de cartulina que quede alineada con el agujero del carrete.
3. Recorta un círculo de cartulina más pequeño de unos 2 ó 3 cm (1 pulg) de diámetro.
4. Centra el círculo pequeño en el círculo grande en uno de los extremos del carrete y fíjalo por un lado con un pedazo de cinta adhesiva transparente de aproximadamente 0.5 cm (1/4 pulg) de ancho. Con esto se forma un obturador móvil sobre el agujero.

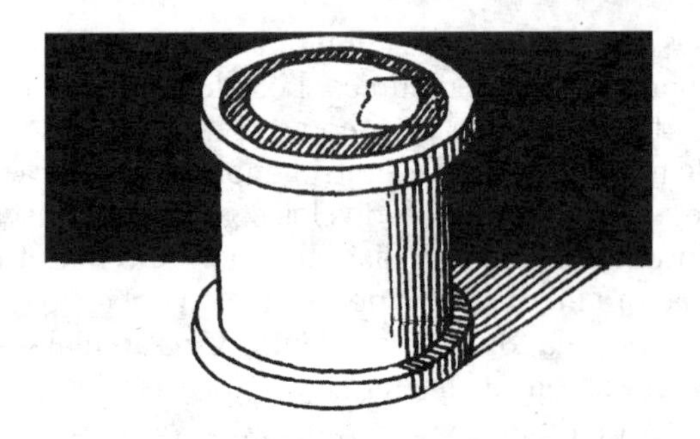

5. Sopla por el agujero del extremo descubierto del carrete de tal modo que el obturador de cartulina del otro lado se abra hacia afuera.
6. Aspira aire por el agujero con la fuerza suficiente para hacer que el obturador de cartulina se cierre sobre el extremo del carrete.
7. Repite varias veces la acción de soplar y aspirar aire por el agujero del carrete.
8. Escucha el sonido que se produce cuando el obturador de cartulina se abre y se cierra.

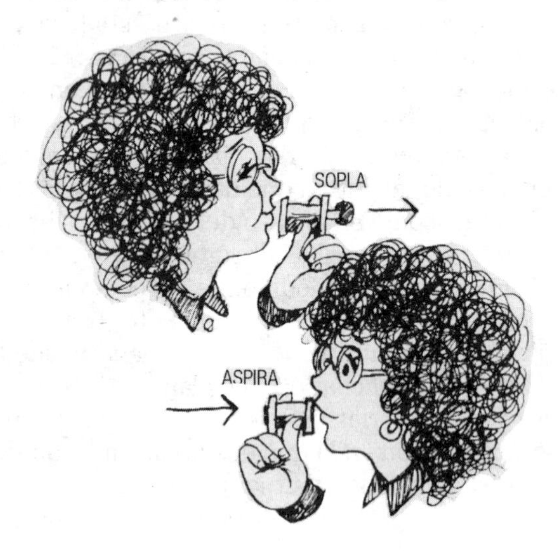

Resultados

Se escucha como un silbido cuando se abre el obturador y un sonido seco cada vez que el obturador se cierra.

¿Por qué?

En todos los mamíferos, el corazón es una bomba doble. Cada lado del corazón tiene una cámara superior y una inferior. A las cámaras superiores se les llama **aurículas** y a las inferiores se les llama **ventrículos**. Un obturador de un solo paso llamado **válvula** (estructura que controla el flujo sanguíneo en una dirección) conecta las cámaras superior e inferior. Cuando el músculo cardiaco se relaja, la sangre fluye a través de las válvulas abiertas de las aurículas a los ventrículos. Cuando el corazón se contrae, el obturador se cierra con un ruido seco. La válvula impide que la sangre regrese a la aurícula y es expulsada del corazón a través de otra abertura. La apertura y el cierre del obturador de cartulina en el carrete de hilo produce un sonido similar al que hacen las válvulas del corazón. El sonido de las válvulas es acompasado y puede escucharse a través de los **tejidos** (grupo de células similares que realizan funciones especializadas) del cuerpo; suena más o menos con el ritmo del tic-tac del reloj.

¡EMPIEZA EL JUEGO!

¿Un hoyo en el obturador afectaría el sonido? Repite el experimento haciendo un agujero pequeño en el obturador de cartulina. Repite lo anterior haciendo agujeros cada vez más grandes en el obturador.

¡TE TOCA TIRAR!

1. ¿Cómo puede fluir la sangre en una sola dirección en las venas? Todas las **venas** y **arterias** tienen válvulas. Consigue una caja y dos solapas de papel rígido y construye un modelo como el que se ilustra abajo para demostrar el movimiento de la sangre a través de válvulas de un solo paso en los vasos sanguíneos. Utiliza una canica para representar la sangre. Asegúrate de que la solapa fija sea lo suficientemente larga para que la solapa móvil se encime en ella 1 cm (½ pulg). Coloca la canica en la caja y ladea la caja hacia adelante para que la canica golpee la solapa móvil y la abra. Si inclinas la caja hacia atrás, la canica golpea de nuevo la solapa, cerrándola. Usa tu modelo, junto con diagramas de una vena, como parte del módulo de exhibición del proyecto.

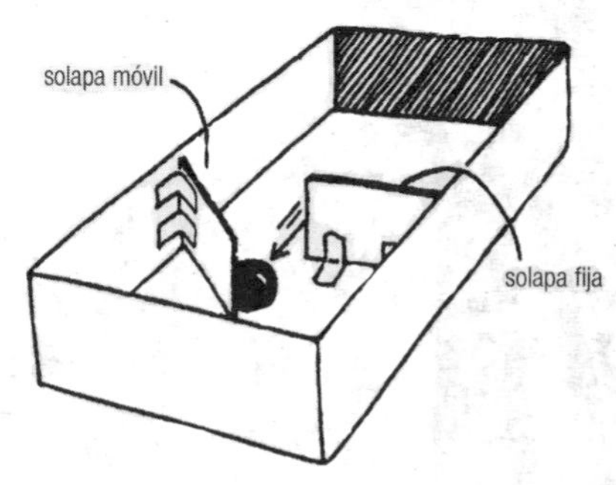

2. En cada latido del corazón, ¿cuánta sangre se mueve? La cantidad varía con el tamaño del corazón. En los seres humanos, el promedio es de 65 ml (un cuarto de taza) por latido, lo que equivale a unos 5 litros (5 cuartos de galón) por minuto. Haz una demostración del trabajo realizado por el corazón utilizando una taza graduada de 65 ml para pasar 5 litros (5 cuartos de galón) de agua de un recipiente a otro. Recuerda que la tarea debe hacerse en 1 minuto. Mete la taza en el agua y vacíala en el otro recipiente. La mejor manera de presentar el procedimiento es mediante fotografías tomadas durante su realización. Cuenta el número de transferencias para determinar el número de veces que debe latir el corazón en un minuto para bombear 5 litros (5 cuartos de galón) de sangre.

¡SIGUES TIRANDO!

1. Los corazones de los animales tienen dos o más cámaras que bombean la sangre a través de su sistema circulatorio. Descubre más acerca de los corazones de diferentes animales. ¿En qué difieren los corazones de peces, anfibios, mamíferos y aves? ¿Cuál es la diferencia específica entre los corazones de aves y mamíferos? Utiliza diagramas de corazones de animales como parte del módulo de exhibición de tu proyecto.
2. La sangre de los insectos es por lo general de color verdoso. Algunos insectos tienen sacos pulsatorios en las articulaciones de sus rodillas que empujan la sangre a través del cuerpo. Averigua más acerca del sistema circulatorio de los insectos.

Fábrica de moscas

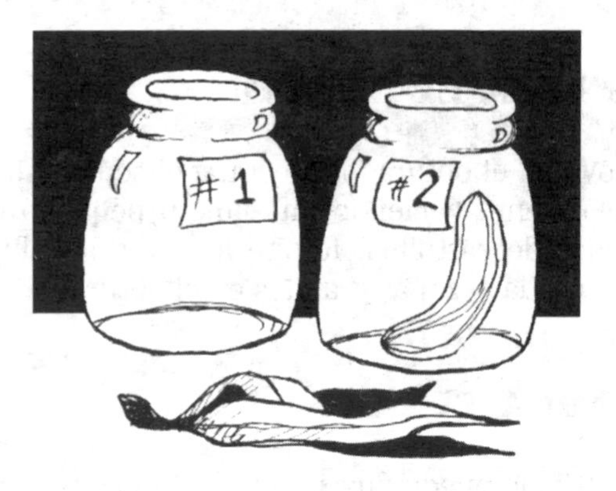

PROBLEMA

¿Pueden crecer moscas de plátanos podridos?

Materiales

- cinta adhesiva (*masking tape*)
- plumón
- 2 frascos de un litro (un cuarto de galón)
- plátano

Procedimiento

NOTA: Este experimento funciona mejor en época de calor.

1. Utiliza la cinta y el plumón para rotular los frascos como #1 y #2.
2. Pela el plátano y ponlo dentro del frasco #2.
3. Deja los frascos abiertos y sin mover durante dos semanas.
4. Haz observaciones diarias durante 14 días y regístralas en un diagrama como el que se muestra abajo.

Resultados

Durante el periodo mencionado, se observan los siguientes resultados:

- Aparecen manchas cafés en el plátano.
- El plátano cambia su color a un café oscuro y se hace aguado.
- Aparecen moscas en el interior de ambos frascos.
- Aparecen larvas en el frasco que contiene la fruta en descomposición, pero no en el frasco vacío.

¿Por qué?

Una teoría popular hasta el siglo XVIII era que los organismos vivos, como las larvas, provenían de la materia muerta. A la teoría de que los organismos vivos provienen de material no viviente se le llama **teoría de la generación espontánea**. Esta teoría se desechó hace cien años y, mediante experimentación adicional, se demostró que los gases liberados por la fruta en descomposición atraen a las moscas. Las moscas depositan sus huevecillos en la fruta y éstos eclosionan en pequeños organismos blancos con forma de gusanos llamados larvas. Si se les da el tiempo suficiente, las larvas se desarrollan en moscas. Por tanto, las larvas observadas en el frasco con la fruta son sólo una etapa en la vida de las moscas.

¡EMPIEZA EL JUEGO!

1. ¿Aparecen las larvas si el frasco con el plátano se mantiene cerrado? Repite el experimento usando tres frascos. Rotula el tercer frasco como #3, coloca dentro un plátano sin cáscara y ponle su tapa. Observa y registra los resultados diariamente.
2. ¿La descomposición de otras frutas dará como resultado la aparición de larvas? Repite el experimento original reemplazando el plátano con otra fruta. Lleva registros diarios de tus observaciones.
3. Aplica el procedimiento del famoso experimento diseñado por Francesco Redi (1626-1697) para confirmar que la comida en descomposición no produce organismos vivos. Coloca trozos pequeños de fruta en tres frascos separados. Deja abierto uno de los frascos, cierra otro con una tapa y cubre el tercero con un pañuelo de algodón. **¡Gana puntos en la feria de ciencias!**: Lleva registros diarios de tus observaciones para mostrarlos. Averigua más del experimento de Redi y utilízalo en el informe de tu proyecto.

¡TE TOCA TIRAR!

Busca en libros de biología información sobre las diferentes creencias populares acerca de la generación espontánea y represéntalas con dibujos. La receta para producir ratones que se expone a continuación fue creada por un hombre llamado Jan Van Helmont (1577-1644). Usa un dibujo similar al que se muestra como parte del módulo de exhibición.

PRECAUCIÓN: ¡No hagas este experimento en tu casa!

RECETA PARA RATONES DE VAN HELMONT

Ingredientes

- recipiente oscuro
- 1 taza de granos de trigo
- camisa sucia

Instrucciones

1. Coloca la camisa y los granos de trigo juntos en el recipiente.
2. Espera varios días.

Se tiene una gran producción de ratones.

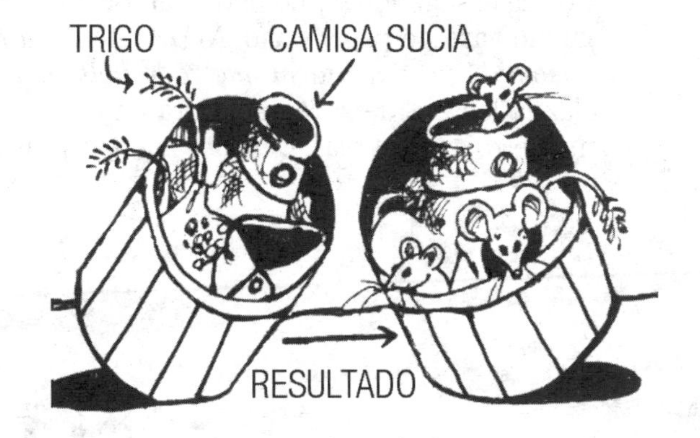

¡SIGUES TIRANDO!

El descubrimiento de los microorganismos hecho por Antoine van Leeuwenhoek (1637-1723) hizo que los científicos se preguntaran si las diminutas criaturas que aparecen en los alimentos en descomposición surgían de forma espontánea. Descubre la manera en que un sacerdote italiano de nombre Lazzaro Spallanzani (1729-1799) intentó refutar esto. ¿Por qué su experimento no fue aceptado por otros científicos?

Capa para el frío

PROBLEMA

¿La capa de grasa bajo la piel mantiene caliente a un animal?

Materiales

- 2 vasos de papel de 270 ml (9 onzas)
- grasa de cocina (mantequilla, margarina, manteca vegetal, etc.)
- 2 termómetros de bulbo
- reloj

Procedimiento

NOTA: Para realizar este experimento necesitas tener acceso a un congelador.

1. Llena uno de los vasos de papel con grasa de cocina.
2. Inserta uno de los termómetros en el vaso con grasa de cocina de tal modo que el bulbo quede en el centro.
3. Coloca el segundo termómetro parado en el segundo vaso de papel vacío. *NOTA: Acuesta el vaso si el peso del termómetro lo voltea.*
4. Haz la lectura de la temperatura en cada termómetro y regístralas. Después, mete los vasos con los termómetros en el congelador y cierra la puerta.
5. Toma las lecturas de la temperatura en cada termómetro cada 3 minutos durante media hora y regístralas.
6. Toma de nuevo las lecturas de los termómetros después de 24 horas.

Resultados

Después de 30 minutos, la lectura del termómetro colocado en la grasa de cocina varió muy poco, pero la temperatura del vaso vacío bajó rápidamente. Transcurridas 24 horas, ambos termómetros alcanzaron la misma lectura.

¿Por qué?

La energía térmica se mueve del sitio más caliente al más frío. Cuando la energía térmica se mueve fuera de un objeto, éste se enfría. Su temperatura se hace más baja. Los materiales **aislantes** retrasan la transferencia de energía térmica. La grasa de cocina, al igual que la capa de grasa situada bajo la piel de los animales, actúa como aislador y, en consecuencia, restringe el flujo de calor del interior del cuerpo hasta el gélido aire exterior. El calor dentro de la grasa de cocina, como el de la grasa aislante en el cuerpo de un animal, se pierde, pero la pérdida es muy lenta. Si se da tiempo suficiente, puede perderse una gran cantidad de calor. La grasa de cocina se enfría a la temperatura ambiente, pero los alimentos ingeridos por los animales les proporcionan energía que reemplaza de manera continua el calor perdido. Por tanto, se mantiene una temperatura constante del cuerpo.

¡EMPIEZA EL JUEGO!

¿Los animales con más grasa tienen una temperatura más alta? Repite el experimento con diferentes cantidades de grasa de cocina. Utiliza los materiales y fotografías del experimento junto con los resultados como parte del módulo de exhibición del proyecto.

¡TE TOCA TIRAR!

1. En las extremidades de los pingüinos existe un sistema especial de vasos sanguíneos. Este sistema evita que sus patas y aletas, que están menos aisladas, bajen la temperatura de su cuerpo. Las arterias que llevan sangre caliente a las patas y las aletas están rodeadas de venas que sacan la sangre fría de las patas y las aletas. La sangre fría se calienta antes de llegar al cuerpo y la sangre caliente se enfría antes de llegar a las patas. Haz una demostración de este intercambio de energía colocando un recipiente con agua caliente dentro de otro más grande con agua fría. Coloca un termómetro dentro de cada recipiente. Lleva un registro de la temperatura en ambos recipientes hasta que ya no haya más cambios. Exhibe dibujos de los recipientes, así como una explicación escrita de los resultados.

2. Muestra la manera en que el color de las plumas o el pelo de los animales afecta la temperatura de su cuerpo. Los objetos negros absorben más ondas luminosas que los objetos blancos. Esta absorción de las ondas de energía hace que suba la temperatura del objeto. Cubre el bulbo de uno de los termómetros con papel blanco y el bulbo del segundo termómetro con papel negro. Coloca los termómetros bajo la luz directa del sol y lleva un registro de sus temperaturas durante unos 20 minutos. Utiliza fotografías y diagramas junto con los resultados como parte del módulo de exhibición.

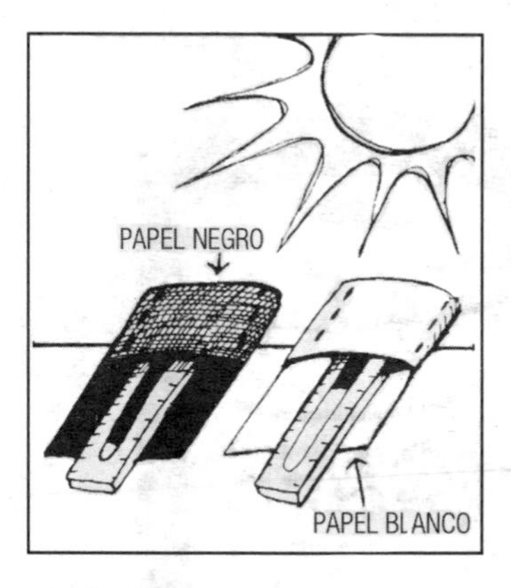

¡SIGUES TIRANDO!

El pingüino Emperador macho *incuba* (mantiene caliente y protegido a fin de que empolle) al único huevo puesto por su pareja; esto lo hace rodando el huevo en sus patas y cubriéndolo con un pliegue especial de piel en la parte baja de su vientre, la cual tiene varios rollos de grasa. Investiga cuánto tiempo permanece el pingüino Emperador macho con el huevo en sus patas y en qué difieren los hábitos de anidación de los pingüinos Adelia y Emperador.

Reflectores vivientes

PROBLEMA

¿Los ojos de los gatos brillan en la oscuridad?

Materiales

- tijeras
- cartulina
- lata de café vacía (el fondo debe ser metálico)
- cinta adhesiva (*masking tape*)
- linterna

Procedimiento

1. Recorta un círculo de cartulina del tamaño suficiente para cubrir la boca de la lata.
2. Recorta una abertura ovalada larga en el centro del círculo de cartulina.
3. Fija con la cinta el círculo de cartulina en el extremo abierto de la lata. Éste es el modelo del ojo de un gato.

4. En una habitación oscura, sostén la lata con el brazo estirado, de tal modo que la abertura de la cartulina quede enfrente de tus ojos.
5. Mira por la abertura de la cartulina y registra tus observaciones.
6. Sostén la linterna enfrente de tu cara y alumbra la abertura de la cartulina.
7. Nuevamente mira por la abertura y registra tus observaciones.

Resultados

La lata no es muy visible en la habitación oscura. Cuando se alumbra con la linterna, el fondo brillante de la lata y la cartulina brillan.

¿Por qué?

Los ojos de los gatos no "brillan" en la oscuridad. El brillo de los ojos de los animales se debe al reflejo de la luz exterior. La parte posterior de los ojos de los gatos tiene células parecidas a espejos, como el fondo de la lata de café, que reflejan la luz. Estas células están llenas de una sustancia química llamada **guanina** que refleja incluso cantidades de luz de muy baja intensidad y, en consecuencia, inundan de luz el globo ocular, produciendo la impresión de que brilla. Los ojos de los gatos no parecen brillar durante el día porque la hendidura oscura de forma oval de los ojos (llamada **pupila**) sólo está ligeramente abierta. Cualquier luz reflejada durante el día no se nota debido a la luminosidad de la luz del sol.

¡EMPIEZA EL JUEGO!

1. En la noche, la pupila de un gato se dilata de manera excepcional, permitiendo que penetre más luz de una linterna, o de otra fuente exterior de luz, y que se refleje en la parte posterior del ojo. Haz una demostración de la manera en que el tamaño de la pupila se relaciona con la intensidad del brillo del ojo del gato. Repite el experimento cambiando el tamaño de la ranura ovalada en el círculo de cartulina. **¡Gana puntos en la feria de ciencias!**: Exhibe los círculos de cartulina clasificados según la intensidad del brillo que se produce.
2. Los seres humanos y algunos animales con una buena visión diurna tienen una delgada capa de tejido oscuro en la parte posterior del ojo; a esta parte del ojo se le llama **coroides**. Haz una demostración de la forma en que esta capa absorbe la luz. Repite el experimento, cubriendo el fondo brillante de la lata con un trozo de cartulina negra. Usa los materiales y los resultados como parte del módulo de exhibición.

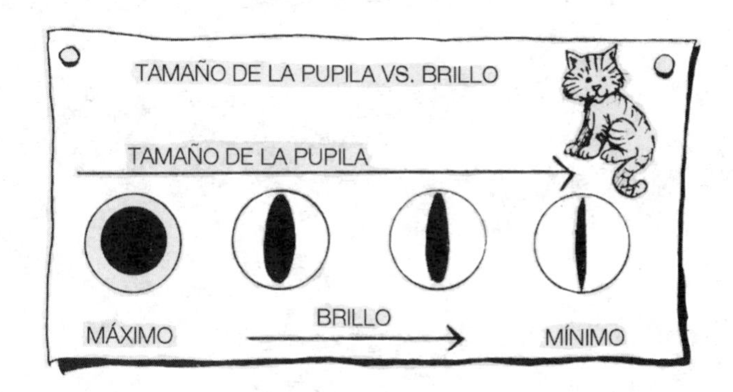

¡TE TOCA TIRAR!

En una luz tenue o en la oscuridad, los músculos de la parte frontal del ojo de todos los animales se relajan, haciendo que la pupila se abra. Para observar el efecto que tiene la luz sobre el tamaño de la pupila, siéntate en una habitación con una iluminación intensa durante 2 minutos. Mantén un ojo bien cerrado y el otro abierto. Observa la pupila del ojo abierto mirando en un espejo. Abre el ojo que tenías cerrado y observa de inmediato el tamaño de la pupila. Pide a un ayudante te tome fotografías cuando lleves a cabo este experimento, o haz dibujos que muestren el tamaño de tus pupilas para usarlos como parte del módulo de exhibición de tu proyecto.

¡SIGUES TIRANDO!

Los cazadores nocturnos tienen por lo general pupilas largas de forma ovalada, mientras que los depredadores diurnos tienen pupilas redondas. Averigua cómo afecta la forma de la pupila la capacidad para ver.

Ciencias de la Tierra

Roca líquida

PROBLEMA

¿De qué manera afecta la presión a la roca en la astenosfera?

Materiales

- taza graduada de 250 ml
- agua de la llave
- vaso de plástico de 270 ml (9 onzas)
- 1 cuchara sopera, para medir 15 ml
- 10 cucharadas soperas de fécula de maíz (150 ml)
- cuchara
- tazón

Procedimiento

1. Prepara "roca líquida" simulada aplicando los siguientes pasos:

   - vierte 1/4 de taza de agua (65 ml) en el vaso de plástico.
   - agrega una cucharada sopera rasa (15 ml) de fécula de maíz y revuelve bien la mezcla. Continúa agregando fécula de maíz, una cucharada a la vez, revolviendo bien la mezcla después de agregar cada cucharada. *NOTA: La mezcla deberá espesar hasta que cueste mucho trabajo revolverla.* Agrega unas gotas de agua si no se disuelve toda la fécula de maíz, o un poco de fécula si la mezcla se siente aguada.
2. Coloca el tazón en una mesa.
3. Sostén el vaso que contiene la roca simulada en una mano e inclínalo un poco para que más o menos la mitad del material fluya lentamente al tazón.
4. Observa cómo fluye el material.
5. Utiliza la cuchara para sacar el resto del material del vaso y pasarlo al tazón.
6. Observa cómo se comporta el material cuando se le fuerza a moverse.
7. Regresa la roca simulada al vaso y consérvala para el experimento siguiente.

Resultados

El material sale del vaso con facilidad cuando se le permite fluir libremente, pero se agrieta y se rompe cuando se le fuerza a moverse.

¿Por qué?

Para su estudio, la Tierra puede dividirse en tres secciones principales: núcleo, manto y corteza. La sección más interior y caliente es el **núcleo**. La sección de en medio, llamada **manto**, se localiza entre el núcleo y la delgada cubierta exterior, llamada **corteza**. La corteza y la porción superior del manto forman un estrato denominado **litosfera**. Abajo de la litosfera se encuentra una porción del manto llamada la **astenosfera**. En esta zona, la roca que constituye el manto se comporta al mismo tiempo como líquido y como sólido. Se piensa que la roca de la astenosfera se comporta como la roca simulada que preparaste en el experimento. Fluye con facilidad si se mueve lentamente, pero se endurece y se rompe cuando se le aplica **presión** (una fuerza aplicada

sobre un área). A esta propiedad de un material sólido se le llama **plasticidad**.

¡EMPIEZA EL JUEGO!

¿Afecta los resultados la rapidez con que se aplica la presión? Utiliza la roca simulada del experimento original. Aplica presión por un periodo prolongado con la punta de la cuchara puesta contra la superficie de la roca en el vaso. Deja que la cuchara se deslice hacia abajo lentamente, sin empujarla. Después, saca la cuchara del material muy lentamente. Repite la acción, esta vez sacando la cuchara rápidamente. Nota la diferencia en la respuesta cuando la presión se aplica lenta o rápidamente al material.

¡TE TOCA TIRAR!

Existe una **zona de fractura**, conocida también como valle de fallado o *rift valley*, que pasa por el centro de la Dorsal Centroatlántica, una cadena montañosa submarina. Dicha zona de fractura se está alargando. Un **rift valley** es una grieta que se extiende dentro del manto de la Tierra. En una zona de fractura existe una presión disminuida sobre el **magma** (roca fundida bajo la superficie de la Tierra). Con menos presión, el magma fluye con mayor facilidad y se mueve hacia arriba por la grieta. El magma que sube se enfría en la superficie, formando una nueva capa de corteza a ambos lados de la grieta. La adición de nuevo material ocasiona que el piso oceánico que rodea a la Dorsal Centroatlántica se ensanche aproximadamente 2.5 cm (1 pulg) cada año. Conforme el océano se ensancha, los continentes europeo y americano se separan.

Sin embargo, la Tierra no se está expandiendo como un globo que se infla. Existen lugares en la corteza que se están hundiendo en el manto, lo cual hace que el tamaño de la Tierra se mantenga constante. Haz una demostración del ascenso de magma y del hundimiento de la corteza pidiendo a un adulto que te ayude a construir dos modelos de una banda transportadora. Para construirlos, aplica los pasos siguientes:

- Coloca un carrete de hilo en cada uno de los extremos del lado más largo y angosto de una pieza de madera de 5 × 10 × 15 cm (2 × 4 × 6 pulg), como se muestra.
- Inserta un clavo por el agujero de cada carrete y clávalo en la pieza de madera. Deja espacio suficiente entre los carretes y la cabeza de los clavos para que los carretes giren con facilidad.
- Enrolla una tira de papel alrededor de los carretes y pega con cinta los extremos de la tira.
- Usa un lápiz para marcar una línea de comienzo a todo lo ancho de la tira.

Coloca los dos modelos para que los carretes queden enfrente de ti. Jala cada tira de papel lo necesario para poner las líneas de comienzo directamente una enfrente de la otra entre los dos carretes interiores. Mueve con los dedos la parte inferior de las tiras de papel hacia el centro, de tal modo que las líneas de las tiras de papel se muevan hacia arriba y sobre los carretes interiores. Esta acción hace que las líneas se alejen una de otras, representando la separación del piso oceánico cuando el magma asciende. Para representar el hundimiento de la corteza dentro de la Tierra, mueve una de las tiras de papel en la dirección contraria, dejando la otra fija.

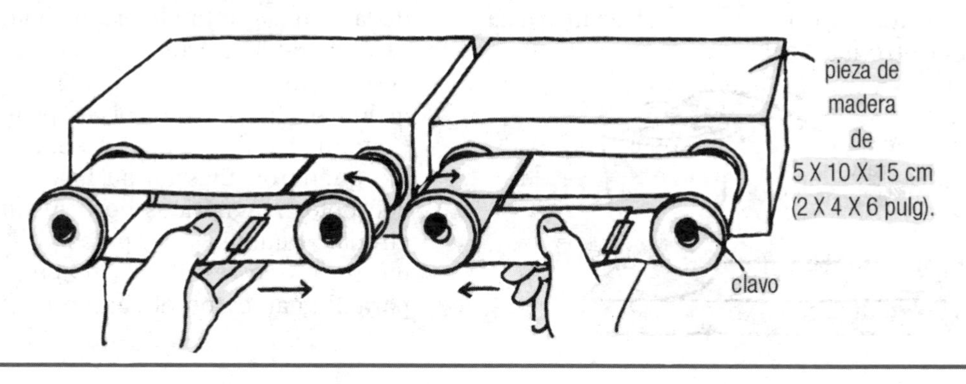

Polos viajeros

PROBLEMA

¿Cómo afectan los campos magnéticos a la aguja de una brújula?

Materiales

- paleta para revolver
- cucharita de té, para medir 5 ml
- 4 cucharaditas (20 ml) de yeso
- 2 cucharaditas (10 ml) de agua de la llave
- vaso de papel
- 1/2 cucharadita (2.5 ml) de limaduras de hierro
- imán de barra
- hoja de papel
- brújula
- plumón
- regla

NOTA: Mezcla el yeso en un recipiente desechable. No laves el recipiente o la paleta para revolver en el fregadero, ya que el yeso puede tapar el drenaje.

Procedimiento

1. Usa la paleta para mezclar el yeso y el agua en el vaso de papel.
2. Vacía las limaduras de hierro en la mezcla de yeso. Revuélvelas bien.
3. Coloca el vaso de papel encima del polo norte del imán.
4. Deja que se endurezca el yeso (unos 15 a 20 minutos). Luego quita el imán.
5. Coloca la hoja de papel sobre una mesa de madera.
6. Voltea el vaso de cabeza encima del papel. Aleja del lugar de trabajo el imán o cualquier otro material magnético.

7. Pon la brújula sobre el vaso volteado.
8. Coloca el plumón unos 2.5 cm (1 pulg) por arriba de la boca del vaso y empieza a trazar una línea gruesa que termine unos 2.5 cm (1 pulg) sobre la hoja de papel.
9. Con ambas marcas alineadas, gira el vaso un cuarto de vuelta a la derecha.
10. Aguarda hasta que la aguja de la brújula deje de moverse y observa entonces la dirección en la que apunta la aguja.
11. Continúa girando el vaso, un cuarto de vuelta a la vez, y observa la dirección en la que apunta la aguja de la brújula. Repite el procedimiento hasta que le hayas dado una vuelta completa al vaso y las marcas queden alineadas nuevamente.

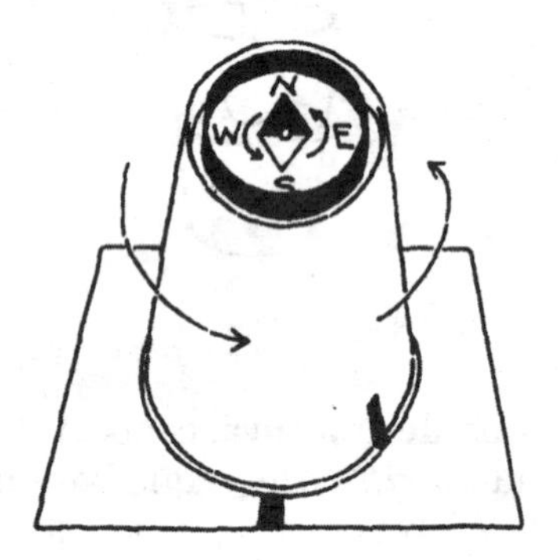

Resultados

La aguja de la brújula apunta en una dirección diferente cada vez que giras el vaso un cuarto de vuelta.

¿Por qué?

La aguja de una brújula es un imán que se alinea con el **campo magnético** terrestre. Los extremos de la aguja apuntan hacia los polos magnéticos norte y sur de la Tierra. Las limaduras de hierro en el yeso se magnetizaron cuando estuvieron cerca del imán y se alinearon con el campo magnético del imán. Cuando se endureció el yeso, las partículas de hierro quedaron fijas en su lugar, formando un imán con polos magnéticos norte y sur. Al girar el vaso, giraban también los "polos" de las partículas de hierro. Como resultado, la aguja de la brújula giró para alinearse con el campo magnético de las partículas de hierro, en vez de hacerlo con el campo magnético de la Tierra.

El campo magnético terrestre apunta actualmente en una dirección diferente a la que tenía en tiempos pasados. Las evidencias de este cambio se comprueban en las rocas magnéticas. Se cree que los granos de material magnético presentes en las rocas se formaron a partir del magma y que la roca fundida se alineó con el campo magnético de la Tierra. Cuando el líquido se enfrió y solidificó, los granos magnéticos quedaron atrapados, creando un "mapa" que apuntaba en la dirección de los polos magnéticos terrestres. Este mapa magnético indica que los polos magnéticos de la Tierra se han desplazado a sitios diferentes con el tiempo.

¡EMPIEZA EL JUEGO!

1. ¿Cambian los resultados si el vaso se coloca en el polo sur del imán? Repite el experimento con el vaso puesto en el polo sur del imán.
2. Si se usan partículas más grandes de materiales magnéticos, ¿se alinean éstos con el campo magnético del imán y producen los mismos resultados que las limaduras de hierro? Repite el experimento original, pero sustituye las limaduras de hierro con balines de acero. **¡Gana puntos en la feria de ciencias!:** Coloca vasos de yeso que tengan limaduras de hierro junto con balines y una brújula que pueda usarse para demostrar cualquier cambio en la polaridad cuando gires los vasos.

¡TE TOCA TIRAR!

Construye un modelo de la Tierra que muestre la posición de los polos magnéticos y los geográficos. Pide a un adulto que atraviese una aguja de tejer en una esfera de "unicel", como en el diagrama. Magnetiza un clavo de acero de la longitud adecuada, de tal modo que la cabeza sea el polo norte; coloca el clavo sobre un imán de barra con la cabeza puesta en el polo norte del imán. Pide a un adulto que inserte completamente el clavo en la esfera con un pequeño ángulo respecto de la aguja de tejer. Inclina la esfera y mete la punta de la aguja en una base de plastilina, de manera que el extremo superior de la aguja quede angulado. Rotula los polos magnéticos y geográficos en la esfera. Utiliza una brújula para demostrar que mientras el clavo atrae la aguja de la brújula, no sucede lo mismo con la aguja de tejer.

¡SIGUES TIRANDO!

¿Dónde se ubican los polos magnéticos norte y sur de la Tierra? Lee acerca de los polos magnéticos y traza un mapa que muestre la localización actual de los polos geográficos y magnéticos terrestres. Se cree que toma un millón de años para que los polos se inviertan. ¿Qué ocasiona este cambio? Dibuja y exhibe un mapa que muestre el movimiento de los polos magnéticos en un periodo de millones de años.

¡Carámbano, qué frío!

PROBLEMA

¿Cómo se forman los carámbanos?

Materiales

- alfiler
- vaso de papel de 210 ml (7 onzas)
- plumón
- cinta adhesiva (*masking tape*)
- agua de la llave
- tijeras
- toalla de papel
- vaso de papel de 150 ml (5 onzas)
- lápiz con punta
- tarjeta para fichas
- vaso de plástico transparente de 210 ml (7 onzas)
- reloj
- ayudante adulto

Procedimiento

NOTA: Para realizar este experimento necesitas tener acceso a un congelador.

1. Pide a un adulto que perfore con el alfiler el fondo del vaso de papel de 210 ml (7 onzas). Rotula éste como vaso A.
2. Tapa el agujero del fondo del vaso con un trozo de cinta.
3. Llena tres cuartas partes del vaso con agua.
4. Coloca el vaso en el congelador durante 30 minutos.
5. Recorta un círculo de la toalla de papel del tamaño adecuado para que ajuste en el fondo del vaso de 150 ml (5 onzas). Inserta el círculo de papel en el fondo del vaso y rotúlalo como vaso B.
6. Sujeta el vaso B con una mano y empuja el lápiz por la toalla de papel para atravesar el fondo del vaso tres veces; los agujeros deben quedar equidistantes. Partes de la toalla de papel saldrán por los agujeros.
7. Perfora la tarjeta para fichas de manera que el vaso B pase por el agujero y que el fondo quede a unos 5 cm (2 pulg) por debajo de la tarjeta.
8. Coloca el vaso B en el agujero de la tarjeta y acomoda la tarjeta en la boca del vaso de plástico.
9. Después de 30 minutos, saca el vaso A del congelador. El agua de este vaso deberá estar en forma líquida, excepto por algunos cristales de hielo.
10. Quita la cinta del fondo del vaso A y colócalo en el interior del vaso B.
11. Mete la pila de vasos en el congelador durante una hora.
12. Saca la pila de vasos y observa.

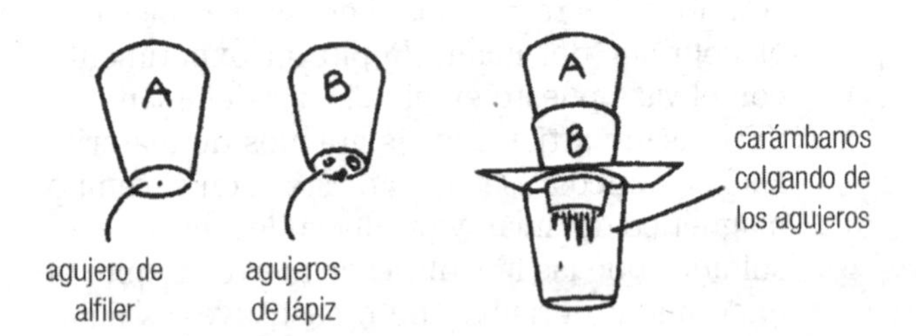

Resultados

Una masa colgante de hielo sobresale de cada uno de los tres agujeros del vaso B.

¿Por qué?

El agua del vaso A está abajo del **punto de congelación** (la temperatura a la que un líquido cambia a sólido), que en el caso del agua es 0°C (32°F). Esta **agua subcongelada** está lo suficientemente fría para congelarse, pero no se formarán cristales de hielo si no hay una base en la que puedan hacerse los cristales de hielo; dicha base puede ser formada por partículas de polvo o por bordes levantados en superficies irregulares. Los elementos de esta base constituyen los **núcleos de congelación**. Cuando el agua gotea del vaso, parte de sus moléculas se adhieren a las fibras de la toalla de papel que sobresalen de los agujeros. Estas moléculas de agua proporcionan una superficie en la que se agregan otras moléculas de agua. Es por esta razón que los cristales de hielo empiezan a crecer en el papel.

La gravedad continúa jalando hacia abajo las gotas de agua de los vasos. Como resultado, el agua que gotea se mueve hacia abajo y se congela en la superficie exterior, acumulándose en una masa de hielo colgante que se denomina **carámbano**. La mayor parte del agua se adhiere a la parte superior del carámbano, por lo que esta sección es la más gruesa. El carámbano se alarga conforme las pequeñas cantidades de agua que se deslizan hacia abajo se agregan lentamente a todo lo largo.

¡EMPIEZA EL JUEGO!

1. ¿Qué tanto afectan los resultados las fibras que sobresalen del vaso B? Repite el experimento, pero coloca la toalla de papel de manera que cubra sólo la mitad del vaso B. Usa el lápiz para hacer dos agujeros a través de la toalla de papel y el vaso, como antes. En el lado del vaso no cubierto por la toalla de papel, haz dos agujeros insertando la punta del lápiz de afuera hacia adentro en el fondo del vaso. **¡Gana puntos en la feria de ciencias!:** Exhibe dibujos de los resultados.
2. ¿Afecta los resultados el tamaño de los agujeros del vaso B? Repite el experimento original haciendo agujeros de diferentes tamaños en el fondo de este vaso.
3. ¿La rapidez con que gotea el agua influye en los resultados? Repite el experimento original utilizando la punta del lápiz para hacer más grande el agujero del vaso A.

¡TE TOCA TIRAR!

1a. El viento desempeña un papel importante en el derretimiento de la nieve, el hielo y los carámbanos. Para demostrar este hecho, coloca dos cubitos de hielo de tamaño igual en platitos separados. Coloca un platito cerca de un ventilador a media velocidad; el segundo platito debe estar apartado de cualquier corriente de aire. Observa los cubitos de hielo para comprobar cuál se derrite más rápido.

b. Determina el efecto de la velocidad del viento sobre el derretimiento del hielo repitiendo dos veces el experimento anterior, primero con el ventilador a baja velocidad y después cambiando a una velocidad más alta. Registra y compara el tiempo de derretimiento de los cubitos de hielo con cada velocidad del ventilador. Elabora una gráfica que muestre los resultados.

2. La forma de seis lados de los cristales de nieve se debe a la organización hexagonal que adoptan las moléculas de agua cuando se congelan. Haz un cristal de nieve de papel trazando un círculo en una hoja de papel blanco. Recorta el círculo y dóblalo a la mitad. Dobla esta mitad en tres partes, como rebanadas de pastel, y luego dobla la cuña a la mitad. Recorta un pedacito de una de las esquinas curvas y luego recorta muescas en todos los bordes, como se muestra en el dibujo.

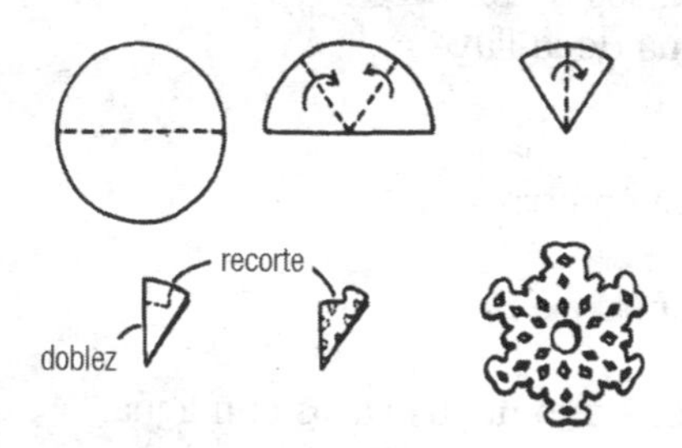

Desdobla el papel y tendrás un cristal de nieve de seis lados; puedes colgarlo con hilo. Haz cristales de nieve de diferentes tamaños cambiando el radio del círculo original. Utiliza los cristales de nieve de papel como parte del módulo de exhibición de tu proyecto.

¡SIGUES TIRANDO!

Averigua más acerca de la nieve, el hielo y otras formas de precipitación congelada. ¿Qué es la cellisca? ¿Qué es la lluvia congelada? ¿Cómo se forman el granizo suave y el granizo cristalino? ¿Cuál es la diferencia entre la escarcha y la aguanieve?

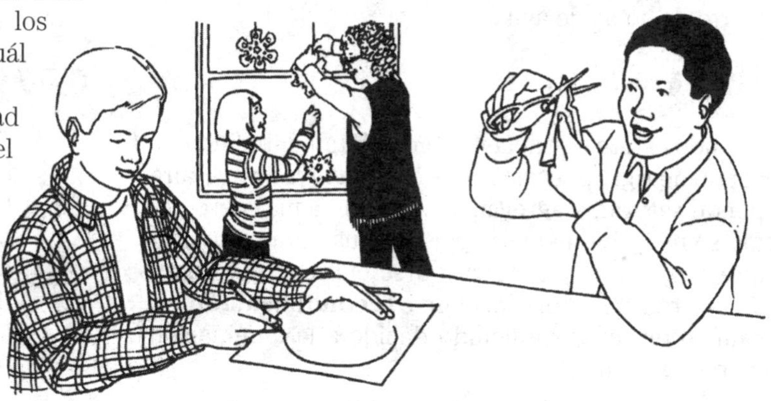

Gotas, pero no de lluvia

PROBLEMA

¿Qué produce el rocío?

Materiales

- 2 vasos de plástico
- agua de la llave
- hielo
- toalla de papel
- cronómetro

Procedimiento

1. Llena uno de los vasos con agua.
2. Llena el segundo vaso con hielo y después agrega suficiente agua para cubrir el hielo.
3. Seca el exterior de cada vaso con la toalla de papel.
4. Deja que los vasos reposen durante 15 minutos en un área sin corrientes de aire.
5. Observa el exterior de cada vaso.

Resultados

El exterior del vaso de agua sin hielo permanece seco, pero el exterior del vaso con agua y hielo está cubierto de gotas de agua.

¿Por qué?

Cuando el aire se encuentra completamente lleno de vapor de agua, se dice que está **saturado**. El aire puede saturarse agregando vapor de agua, pero como se necesita menos vapor de agua para saturar el aire frío, el aire puede saturarse enfriándolo. Cuando el aire está saturado, ocurre la **condensación** (el cambio de un gas a líquido debido a la eliminación de energía calorífica).

El agua con hielo enfría el vaso y el vaso frío enfría el aire circundante. Las moléculas del vapor de agua de este aire saturado y enfriado se juntan unas con otras, formando gotitas de agua. Estas gotitas se pegan en el exterior del vaso y aumentan su tamaño conforme se condensa más agua en el vaso. El vaso que contiene agua sin hielo no enfría lo suficiente el aire circundante para que se sature, por lo que el vapor de agua del aire no llega a condensarse. Cuando el vapor de agua del aire entra en contacto con superficies frías, se condensa y forma gotitas de agua llamadas **rocío**.

¡EMPIEZA EL JUEGO!

1. Repite el experimento usando recipientes hechos de materiales diferentes, como vidrio, papel y metal.

2a. La temperatura a la que se forma el rocío se llama **punto de rocío**. Determina la temperatura a la que se formó el rocío en el vaso. Repite el experimento original utilizando únicamente el vaso con agua y hielo. Coloca un termómetro en el vaso y observa el exterior del vaso. Registra la temperatura en la que observaste la formación de rocío por primera vez en el exterior del vaso.

b. La **humedad** es la cantidad de vapor de agua en el aire. ¿Tiene algún efecto en el punto de rocío? Repite el experimento en días diferentes para que la humedad sea variable. Averigua cuál es la humedad en los informes meteorológicos de periódicos o de televisión y registra este dato cada día que realices el experimento.

¡TE TOCA TIRAR!

1. Otra manera de probar el efecto de la humedad en el punto de rocío es creando un ambiente húmedo. Pide a un adulto que corte el fondo de una botella de plástico de 2 litros. Aprieta el tapón de la botella y colócala en un plato lleno de agua. Asegúrate de que el borde inferior de la botella quede sumergido. Deja la botella sin moverla toda la noche. Al día siguiente, retira

la botella y coloca en el plato un vaso de agua con hielo; pon un termómetro dentro. Cubre el vaso con la botella y observa el exterior del vaso. Registra la temperatura a la que se forma el rocío, como en los experimentos anteriores.

2. Para medir los cambios en la humedad se usa un **higrómetro**. Tú puedes construir este instrumento. Pide a un adulto que limpie la grasa de un cabello lacio de 15 cm (6 pulg) de largo. En caso de que ningún miembro de la familia tenga el cabello lacio, consíguelo con un amigo o en una estética. Para limpiar el cabello, éste se pasa entre dos algodones humedecidos con removedor de esmalte de uñas.

   Fija con un trozo de cinta adhesiva uno de los extremos del cabello en el centro de un palillo. Marca una de las puntas del palillo con un plumón. Pega el extremo libre del cabello en el centro de un lápiz. Acomoda el lápiz en la boca de un frasco de 1 litro de tal modo que el palillo cuelgue en el interior del frasco. Si el palillo no cuelga horizontalmente, agrega una gota de pegamento en uno de los extremos de éste para equilibrarlo. Coloca el frasco en un sitio donde no se mueva. Durante una semana o más, realiza observaciones diarias de la dirección en la que apunta el palillo. Podrás comprobar que si el aire está húmedo, el cabello se estira; y si está seco, se encoge.

   El estiramiento y encogimiento del cabello actúa sobre el palillo y ocasiona que éste se mueva. A partir de tus resultados, determina la manera en que se usa el higrómetro para medir la humedad.

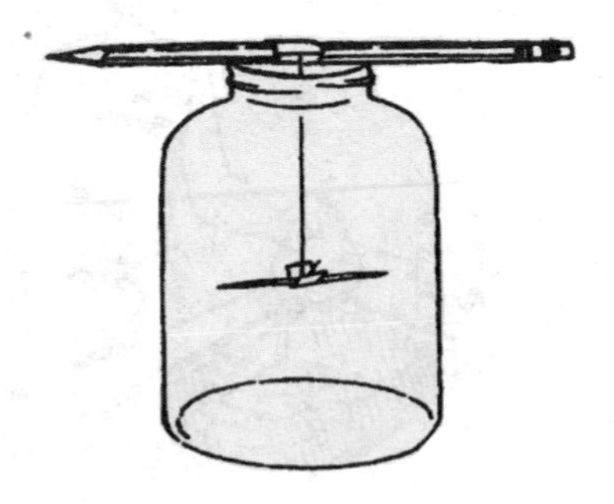

¡SIGUES TIRANDO!

Las gotas de rocío no caen del cielo como la lluvia, sino que se forman en superficies frías. Averigua más acerca del rocío. ¿Por qué el rocío se forma generalmente por las noches? ¿De qué manera la diferencia entre las temperaturas del día y de la noche afecta la formación del rocío?

Sal solar

PROBLEMA

¿Cómo puede usarse el sol para separar la sal del agua salada?

Materiales

- charola para hornear galletas
- 2 pliegos de cartulina negra
- 2 cucharadas de sal de mesa
- 1 taza de agua de la llave

Procedimiento

1. Cubre el fondo de la charola con la cartulina negra.
2. Agrega la sal en el agua de la taza y revuélvela. La mayor parte de la sal se disolverá, aunque casi siempre queda un poco sin disolver.
3. Vacía el agua salada sobre la cartulina. evita que la sal no disuelta caiga en la cartulina, debe quedarse en la taza.

4. Coloca la charola en un sitio soleado donde pueda permanecer sin moverse durante varios días. Puede ser cerca de una ventana o en el exterior, si el tiempo es templado y seco.
5. Observa la cartulina diariamente hasta que se seque.

Resultados

Al principio, aparece en la cartulina una capa delgada de cristales blancos. Después, se forman por separado pequeños cristales blancos de forma cúbica.

¿Por qué?

Con los rayos del sol se calienta la solución de agua y sal. El agua se evapora y queda sobre la cartulina la sal seca. Aun cuando este experimento es similar al método empleado por algunas compañías para producir sal mediante la evaporación del agua de mar, la cantidad de sal que se obtiene es mucho menor. Este método se conoce como **proceso solar** y al producto se le llama **sal solar**. La sal solar se produce en grandes cantidades en muchos países, incluyendo a México y Estados Unidos.

¡EMPIEZA EL JUEGO!

1. ¿Cuánta sal solar se obtiene si se evapora una taza de agua de mar?
2. Una **salina** es un lugar donde se produce sal con el proceso solar. La construcción de una salina simple se hace cavando un estanque poco profundo cerca del mar y dejando que el agua del mar fluya dentro. Después se cierra el flujo del mar para que el sol evapore el agua y se forme un depósito de cristales de sal. ¿Cómo afecta la evaporación de un estanque de agua salada poco profundo a los cristales de sal producidos? Repite el experimento original reemplazando la charola con un tazón pequeño. **¡Gana puntos en la**

feria de ciencias!: Toma fotografías de la sal que queda en este experimento y del experimento original para representar los resultados. Utiliza las fotografías como parte del módulo de exhibición.

¡TE TOCA TIRAR!

1a. La **salinidad** es la medida de la cantidad de sal disuelta en el agua. La salinidad promedio del agua de mar es de 35 partes por millar; esto se escribe 35 ppm. Significa que hay 35 unidades de sal en cada 1 000 unidades de agua de mar. El gramo es la unidad de uso más común para medir la salinidad, pero también llega a usarse cualquier unidad de **masa** (la cantidad de materia en un objeto) o de **peso** (la fuerza con que un objeto es atraído hacia el centro de la Tierra debido a la gravedad y a su masa), como el kilogramo. Aun cuando la mayoría de las muestras de agua de mar tienen una salinidad de 35 ppm, ésta varía de un lugar a otro. La escala de la salinidad del agua de mar se encuentra generalmente entre 32 ppm y 38 ppm. Averigua dónde son más comunes estas salinidades y marca en un mapa su localización.

b. Junto con el mapa, prepara y exhibe fotografías de muestras de tres salinidades: 32 ppm, 35 ppm y 38 ppm. Rotula las muestras e indica la cantidad de sal y agua de cada una. Siguiendo el ejemplo dado para la preparación de una muestra de agua marina con 36 ppm, elabora tus tres muestras.

EJEMPLO

¡Piensa!

- 36 ppm = 36 gramos de sal + 1 000 gramos de agua.
- Dato: 1 gramo de agua tiene un volumen de 1 mililitro, por tanto, 1 000 gramos de agua tienen un volumen de 1 000 mililitros (1 litro).

Procedimiento

1. Llena un frasco con un litro de agua.
2. En una báscula de cocina pesa 36 gramos de sal de mesa.
3. Agrega la sal al agua y revuélvela.
4. Rotula el frasco como sigue: 36 ppm (36 gramos de sal + 1 litro de agua).

2. Demuestra el efecto que tienen los ríos en la salinidad del océano. Vierte 2 litros de agua en una bandeja para pintar con rodillo. Agrega dos cucharadas soperas (30 ml) de sal de mesa y revuélvelas. Reviste con cartulina negra el fondo de 4 tazones chicos. Utiliza un lápiz con punta para perforar un agujero en la cara lateral y cerca del fondo de un vaso de papel de 90 mililitros. Pon el dedo sobre el agujero mientras llenas la mitad del vaso con agua. Agrega unos granos de sal al agua para representar la sal en el agua de un río. Coloca el vaso en el extremo sin agua de la bandeja de tal modo que el agujero apunte hacia el agua. Deja que el agua salga del vaso. Rápidamente toma muestras del agua de los cuatro sitios indicados en el diagrama (puntos A, B, C y D). Para recoger las muestras, usa una cuchara o un gotero, de manera que todas tengan la misma cantidad. Vierte cada muestra en uno de los tazones recubiertos. Coloca los tazones en un lugar donde el sol pueda evaporar el agua. Después, compara la cantidad de sal que queda en cada cartulina para determinar el efecto de la salinidad del agua de río sobre la salinidad del océano.

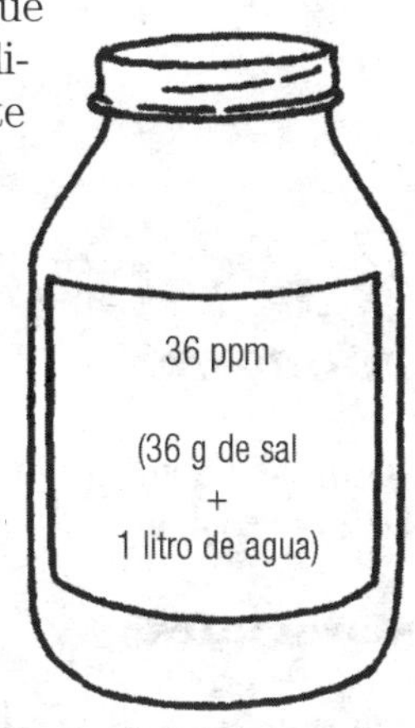

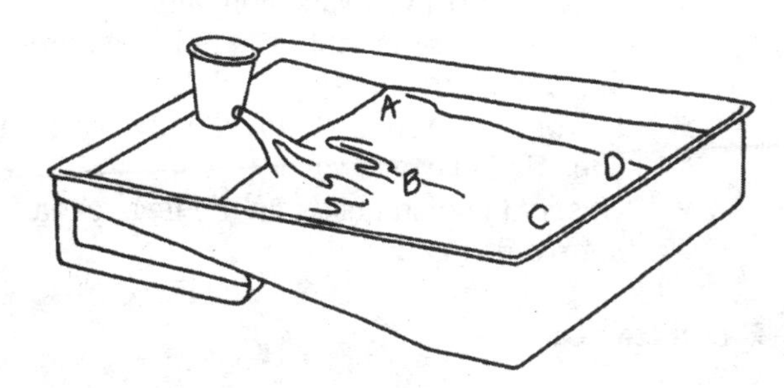

¡SIGUES TIRANDO!

Cloruro de sodio es el nombre químico de la sal conocida como sal de mesa. Esta sal es la más abundante en el agua de mar. Averigua más acerca de las sales del mar. ¿Cuáles son las siete sales más comunes en el mar y los porcentajes de cada una de ellas? ¿Cuáles son los usos de estas sales? Para mayor información, consulta textos de Ciencias de la Tierra en la biblioteca de tu escuela o en una enciclopedia.

Se hacía grandote

PROBLEMA

¿Cómo afecta la profundidad a la presión del agua?

Materiales

- lápiz con punta
- vaso de papel de 270 ml (9 onzas)
- cinta adhesiva (*masking tape*)
- jarra de 2 litros (2 cuartos de galón)
- agua de la llave
- ayudante adulto

Procedimiento

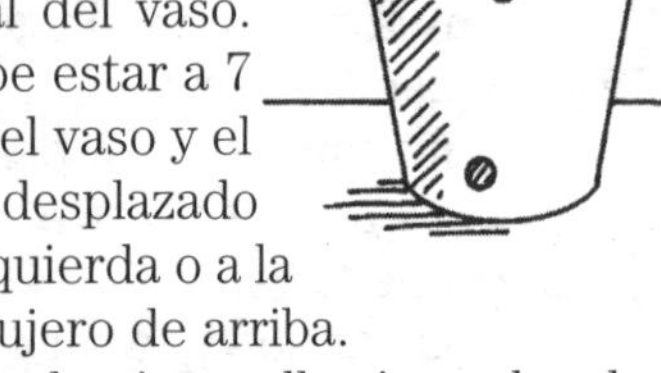

1. Pide a un adulto que perfore con el lápiz dos agujeros de diámetros iguales en la pared lateral del vaso. Un agujero debe estar a 7 cm del fondo del vaso y el otro a 2 cm, desplazado un poco a la izquierda o a la derecha del agujero de arriba.
2. Coloca una tira de cinta adhesiva sobre los agujeros en el exterior del vaso.
3. Llena la jarra y el vaso con agua.
4. Coloca el vaso en el borde del fregadero.
5. Quita la cinta del vaso y pídele a un ayudante que mantenga lleno el vaso vertiendo agua de la jarra al vaso.
6. Observa la distancia a la que llega cada chorro de agua.

Resultados

Salen dos chorros de agua por los agujeros del vaso. El chorro del agujero de abajo llega más lejos.

¿Por qué?

La **presión** es una fuerza aplicada sobre un área. Puesto que el agua tiene un peso, ejerce presión. Un factor que afecta la cantidad de presión ejercida por el agua es la **profundidad**. La presión del agua aumenta con la profundidad debido a que el peso del agua empuja de arriba hacia abajo. Entre mayor es la presión, más lejos llega el chorro de agua, por lo que el chorro que sale del agujero de abajo llega más lejos.

¡EMPIEZA EL JUEGO!

1. ¿La presión aumenta de manera proporcional con la profundidad? Repite el experimento tres veces, pero haz un agujero en el vaso a la vez. Primero, experimenta sólo con el agujero de arriba. Después, usa sólo el agujero de abajo. Por último, haz un agujero a 4 cm del fondo del vaso. Un método para medir la distancia que alcanza cada chorro puede ser colocar una hoja de papel debajo de los chorros y marcar con un plumón hasta dónde llegan. Compara la distancia entre el chorro de arriba y el de en medio con la distancia entre el chorro de abajo y el de en medio para determinar si la presión aumenta de manera proporcional con la profundidad del agua.
2. ¿La cantidad de agua afecta su presión? Repite el experimento anterior utilizando un vaso más grande. **¡Gana puntos en la feria de ciencias!:** Como parte del módulo de exhibición de tu proyecto, prepara diagramas que muestren la distancia a la que llega cada uno de los cuatro chorros de agua, los dos del vaso chico y los dos del vaso grande.

¡TE TOCA TIRAR!

El segundo factor que determina la presión del agua es su densidad. La **densidad** es la "pesadez" de un objeto, basada en su masa comparada con su **volumen** (la cantidad de espacio que ocupa el objeto con base en su longitud, anchura y profundidad). Cuando la densidad del agua se incrementa, la presión que ejerce también se incrementa. ¿Cómo se compararía la densidad del agua de mar con la del agua dulce? Para averiguarlo, usa tres frascos con la misma masa que tengan la capacidad suficiente para contener 1 litro de agua. Pesa los frascos para asegurarte de que la masa es la misma en los tres. Puesto que necesitarás una escala precisa para estas mediciones, acude a un farmacéutico para pedirle que te ayude a pesar cada frasco en gramos. Prepara los frascos de la siguiente manera:

- Frasco 1: Déjalo vacío. Cierra la tapa.
- Frasco 2: Llénalo con 1 litro (1 000 mililitros) de agua de la llave. Cierra la tapa.
- Frasco 3: Llénalo con 1 litro (1 000 mililitros) de agua de la llave, agrégale 1 cucharada sopera (15 ml) de sal de mesa y revuélvela. Cierra la tapa.

Llena una tabla de datos similar a la que se muestra abajo. Utiliza la masa y el volumen de cada frasco con agua y la ecuación de la densidad que se presenta más adelante para determinar la densidad del agua dulce y la del agua salada.

NOTA: la adición de la sal hace variar tan poco el volumen de un líquido que se usará 1 000 ml como el volumen del agua salada.

densidad = masa del agua ÷ 1 000 ml.

NOTA: la densidad del agua se mide en gramos por mililitro (g/ml).

Ejemplo

Frasco	*Masa*
1	33 g
2	1 033 g

1. Resta la masa del frasco 1 de la del frasco 2 para determinar la masa de 1 000 mililitros de agua dulce.

frasco 2 (1 000 ml de agua dulce + frasco + tapa)	1 033 g
— frasco 1 (frasco + tapa)	33 g
1 000 ml de agua dulce	1 000 g

2. Utiliza la masa y el volumen del agua dulce en la ecuación de la densidad:

masa = 1 000 g
volumen = 1 000 ml
densidad del agua dulce = 1 000 g ÷ 1 000 ml
= 1 g/ml

¡SIGUES TIRANDO!

Debido a que la presión aumenta con la profundidad, los buzos experimentan cambios físicos conforme descienden o pasan a una profundidad mayor. A una profundidad de unos 3 metros, los buzos sienten cómo los oídos se les "destapan". Averigua más acerca de los efectos de la presión en los buzos. ¿Qué es el padecimiento por descompresión? ¿Qué efecto tiene la presión en los ojos de los buceadores? ¿Qué equipo y métodos utilizan los buzos para proteger sus cuerpos? Busca esta información en la biblioteca de tu escuela o en una enciclopedia.

AGUA DULCE Y SALADA

Frasco	Material	Masa
1	frasco + tapa	
2	1 000 ml de agua dulce + frasco + tapa	
3	1 000 ml de agua salada + frasco + tapa	

Sangre fría

PROBLEMA

¿Cómo afecta el ambiente la temperatura del cuerpo de los animales de sangre fría?

Materiales

- tarjeta para fichas grande
- lápiz
- perforadora para papel de un hoyo
- tijeras
- termómetro de bulbo
- reloj

Procedimiento

1. Dobla la tarjeta para fichas a la mitad por el lado más largo y ábrela de nuevo. Por diversión, dibuja en uno de los lados de la tarjeta un animal de sangre fría; por ejemplo, ¡un dinosaurio!
2. Utiliza la perforadora para papel para hacer dos hoyos separados unos 2 cm (1 pulg) en el centro del otro lado de la tarjeta.
3. Corta con las tijeras dos ranuras en la tarjeta un poco más largas que el ancho del termómetro, como se muestra; mete las tijeras en cada hoyo y haz un corte en ambos lados del hoyo.

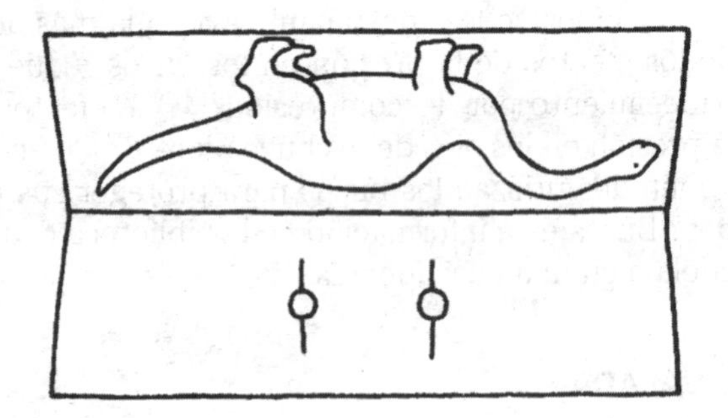

4. Inserta el termómetro en las ranuras de la tarjeta de tal modo que el bulbo quede en la cola del dinosaurio.
5. Toma la lectura de la temperatura y regístrala.
6. Coloca la tarjeta del dinosaurio parada en el exterior, de tal modo que el termómetro quede en la luz solar directa.
7. Después de 5 minutos, lee de nuevo la temperatura y regístrala.

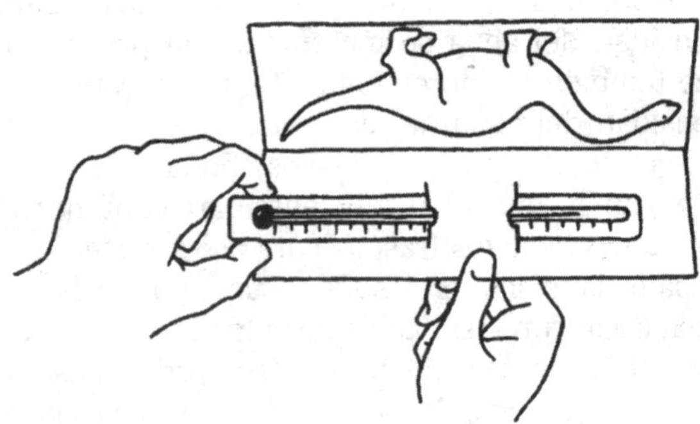

Resultados

La temperatura en el termómetro se incrementó cuando la tarjeta se colocó en la luz solar directa.

¿Por qué?

Los dinosaurios de sangre fría (**ectotérmicos**), como los reptiles de sangre fría de la actualidad, aumentaban la temperatura de su cuerpo poniéndose al sol. La lectura más alta de la temperatura cuando el termómetro se colocó bajo el sol indica que la piel de un dinosaurio recibía más calor cuando el animal estaba en un área con sol. La sangre de los vasos debajo de su piel se calentaba, elevando la temperatura de su cuerpo.

¡EMPIEZA EL JUEGO!

¿Cómo se enfriaban los dinosaurios de sangre fría? Repite el experimento dos veces. Primero, voltea la tarjeta de tal modo que la cabeza del dinosaurio apunte directamente hacia el sol y que el bulbo del termómetro apunte en la dirección contraria. Después, coloca la tarjeta en un área sombreada. **¡Gana puntos en la feria de ciencias!:** Toma fotografías de la tarjeta en cada posición. Elabora un diagrama con fotografías y las lecturas de temperatura en cada área. Coloca el diagrama como parte del módulo de exhibición.

¡TE TOCA TIRAR!

1. ¿Cómo se mantenían calientes los dinosaurios después del atardecer? Acostarse en el suelo caliente puede haber ayudado a los dinosau-

rios a permanecer calientes en la noche. Determina si después del atardecer el suelo se enfría más lentamente que el aire que está sobre él. Para esto, mide los cambios en la temperatura del suelo y del aire en un ambiente frío. Llena a la mitad dos vasos de plástico de 360 ml (12 onzas) con tierra. Inserta el bulbo de un termómetro medio centímetro debajo de la tierra de uno de los vasos. Pon un segundo termómetro sobre la superficie de la tierra del segundo vaso. Acomoda ambos vasos uno junto al otro en un lugar soleado. Después de 5 minutos, toma la lectura de las temperaturas en ambos termómetros y regístralas. Manteniendo los termómetros en la misma posición, coloca los vasos en el congelador. Después de 5 minutos, saca los vasos y vuelve a tomar las lecturas de ambos termómetros y regístralas.

2. Algunas características físicas de los dinosaurios les ayudaban a controlar el calor de sus cuerpos. Por ejemplo, los restos fósiles del *Spinosaurus* indican que este animal tenía largas espinas óseas que se proyectaban hacia arriba de la columna vertebral. Se piensa que estas espinas eran el soporte de un tejido similar al de un pez vela. Durante la parte más fría del día, el *Spinosaurus* se paraba donde hubiera sol y la sangre de la "vela" se calentaba como en un colector solar. Así, la sangre calentada por el sol llevaba calor al cuerpo del animal. Si el animal se calentaba demasiado, podía doblar la vela o moverse a la sombra. Haz diagramas o modelos que muestren el uso de este tejido y úsalos como parte del módulo de exhibición.

¡SIGUES TIRANDO!

Averigua más acerca de las características físicas especiales de algunos dinosaurios empleadas para controlar su temperatura corporal. Algunos científicos piensan que las placas dorsales del *Stegosaurus* pudieran haber servido para controlar el calor, no como protección. Para mayor información acerca de estas placas y otras características físicas que tenían los dinosaurios para calentarse y enfriarse, consulta libros sobre el tema en la biblioteca de tu escuela o en una enciclopedia.

Spinosaurus

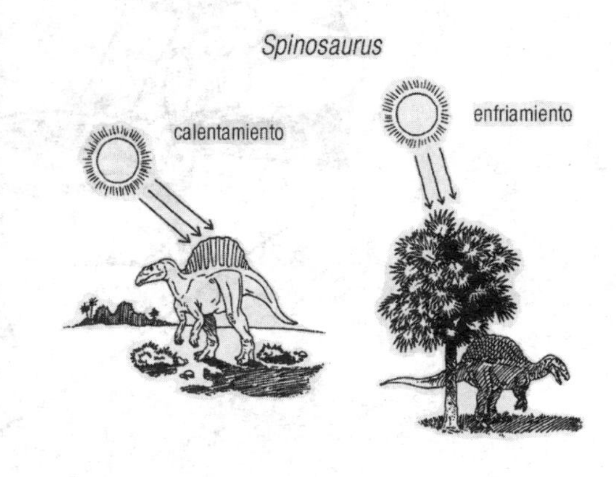

Huella delatora

PROBLEMA

¿Cómo dejaron sus huellas los dinosaurios?

Materiales

- ½ taza (125 ml) de harina de trigo
- ½ taza (125 ml) de harina de maíz
- ½ taza (125 ml) de agua
- tazón grande
- cuchara
- plato de papel
- molde cuadrado para hornear de 20 cm (8 pulg) con agua

Procedimiento

1. Vacía las harinas de trigo y maíz en el tazón y mézclalas con una cuchara.
2. Agrega poco a poco el agua al tazón. Revuelve la mezcla y... ¡listo!: ya tienes tu "lodo hecho en casa".
3. Vacía el lodo en el plato de papel. Con la cuchara, extiende el lodo uniformemente en el plato.
4. Moja una de tus manos con el agua del molde.
5. Separa los dedos de esa mano y presiona el lodo con fuerza.
6. Quita la mano. Deberás ver una buena impresión de tu mano. Si no es así, hazlo de nuevo.
7. Coloca el plato en una superficie plana donde no se le mueva y deja secar el lodo. Esto puede tomar de 2 a 5 días, lo que depende de la temperatura y la humedad del aire.

Resultados

El lodo se seca, dejando un molde endurecido con la forma de tu mano.

¿Por qué?

El lodo fue desplazado cuando lo oprimiste con tu mano. Lo mismo ocurre con la arcilla cuando un animal camina o se arrastra sobre ella. A la marca hecha por presión en el lodo se le llama **impresión**. Si no se altera antes de que se seque, se forma un molde endurecido de las huellas del animal. Se han encontrado huellas de dinosaurios en River Valley,

Connecticut; en GlenRose, Texas, y en otros lugares donde estos animales prehistóricos caminaban sobre barro o arena suave. Con el tiempo, estas impresiones se endurecieron como rocas y la huella quedó atrapada para siempre.

¡EMPIEZA EL JUEGO!

1. ¿Afecta la cantidad de agua de la mezcla la calidad de impresión? Haz varias impresiones utilizando diferentes cantidades de agua. Lleva un registro de la cantidad de agua empleada en cada mezcla. Toma fotografías de las impresiones antes y después de secarse y usa las fotografías y las impresiones como parte del módulo de exhibición del proyecto.
2. ¿Afecta el tipo de suelo la impresión que se obtiene? Prepara varias muestras de lodo utilizando diferentes cantidades de harina de maíz y de trigo. Repite dos veces el experimento, primero añadiendo más harina de maíz, después añadiendo menos harina de maíz. Procura que la consistencia del lodo de todas las muestras quede tan parecida como sea posible. **¡Gana puntos en la feria de ciencias!:** Exhibe las impresiones junto con el recipiente de cada mezcla y un resumen que señale cuál de las muestras produjo la mejor impresión.

¡TE TOCA TIRAR!

¿Cómo puedes reproducir una huella para estudiarla? Es muy sencillo. Haz una mezcla de yeso para vaciarla en las huellas de animales que encuentres en el suelo. *NOTA: Mezcla el yeso en un recipiente desechable, usando una paleta para revolverlo. No laves el recipiente ni la paleta en el fregadero, ya que el yeso puede tapar el drenaje.* Aguarda unos 20 minutos para que se seque el yeso. Después, levanta con mucho cuidado el yeso del suelo. Contarás así con un modelo de la huella del animal. Presenta tus ideas de qué animal hizo las huellas y manifiesta en qué te apoyas.

¡SIGUES TIRANDO!

Descubre más acerca de las huellas de los animales y la manera de identificarlas. Busca un libro que muestre huellas dejadas por diferentes animales.

¿De cuántos grados fue?

PROBLEMA

¿Cómo registra un sismógrafo la magnitud de un temblor de tierra?

Materiales

- caja de cartón de 30 cm (12 pulg) por lado
- tijeras
- regla
- papel de sumadora
- cordel
- lápiz con punta
- vaso de papel de 150 ml (5 onzas)
- cinta adhesiva (*masking tape*)
- plumón negro
- piedras pequeñas para llenar el vaso
- plastilina
- ayudante adulto

Procedimiento

1. Pide a tu ayudante adulto que prepare la caja de la siguiente manera:
   - Que recorte la tapa de la caja, y luego voltee la caja de lado para que la abertura quede hacia el frente.
   - Que corte un orificio de 5 cm (2 pulg) de diámetro en el centro de la parte superior de la caja.
   - Que corte dos ranuras de 1.5 × 10 cm (½ × 4 pulg) en la caja. La primera ranura debe quedar al centro del fondo y cerca de la abertura. Hacer la segunda ranura en la parte posterior de la caja, para que esté alineada con la primera.

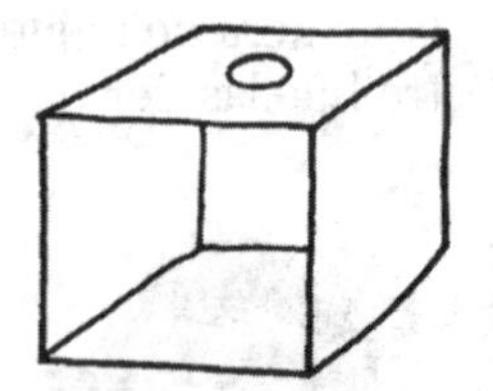

2. Corta un tramo de 60 cm (24 pulg) de papel de sumadora.
3. Ensarta la tira de papel en las ranuras de la caja de tal modo que sobresalgan unos 5 cm (2 pulg) del papel por el extremo frontal de la caja.
4. Corta dos trozos de cordel de 45 cm (18 pulg).
5. Pide a tu ayudante adulto que use la punta del lápiz para perforar dos agujeros opuestos debajo de la boca del vaso.
6. Ata los dos tramos de cordel en el vaso. Primero, pasa el cordel por uno de los agujeros y haz un nudo en la orilla del vaso con una de las puntas. Repite la operación en el agujero opuesto.
7. Mete el vaso en la caja y pasa el extremo libre de cada cordel por el orificio de la parte superior de la caja.
8. Coloca el lápiz sobre el orificio y pega con cinta los extremos de los cordeles en el centro del lápiz. El fondo del vaso deberá quedar a unos 2 cm (1 pulg) por arriba del piso de la caja.
9. Empuja la punta del plumón desde el interior del vaso hasta que atraviese el fondo.
10. Llena el vaso con las piedras alrededor del plumón.
11. Enrolla los cordeles en el lápiz hasta que la punta del plumón apenas toque el papel de sumadora.
12. Para impedir que los cordeles se desenrollen, fija el lápiz por sus extremos a la caja con un trozo de plastilina.
13. Jala hacia ti el papel de sumadora con una mano al mismo tiempo que sacudes suavemente la caja con la otra mano.
14. Observa las marcas hechas por el plumón en el papel.

Resultados

El plumón traza una línea en zigzag sobre el papel conforme éste se mueve debajo del plumón.

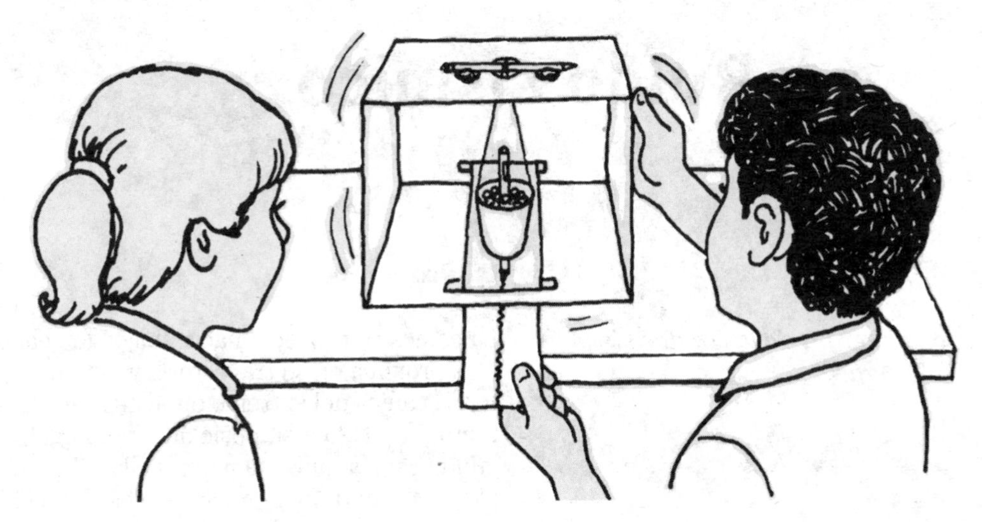

¿Por qué?

La **inercia** (resistencia a un cambio en el movimiento) del vaso con las piedras lo mantiene estable mientras la caja **vibra** (se sacude hacia atrás y hacia adelante repetidamente). Cuando la caja vibra, mueve el papel de un lado a otro debajo del plumón; por tanto, se traza una línea en zigzag cuando se jala el papel. La energía vibratoria que se libera durante la violenta sacudida de la corteza terrestre ocasionada por un movimiento repentino de la roca bajo su superficie se conoce como **temblor de tierra**, y se mide y registra con un instrumento llamado **sismógrafo**. Como tu modelo, un sismógrafo utiliza un objeto muy pesado suspendido que permanece estable, mientras el marco en el que se encuentra instalado se mueve cuando la Tierra se sacude. Una plumilla fijada en el objeto suspendido registra las sacudidas en el papel en movimiento. El ancho de las líneas trazadas se incrementa con relación a la cantidad de energía vibratoria liberada, con lo que se obtiene la medición de la **magnitud** del temblor de tierra que está ocurriendo. Al registro escrito se le llama **sismograma**.

¡EMPIEZA EL JUEGO!

1. ¿Afecta el peso del vaso el sismograma producido? Repite el experimento utilizando un vaso vacío.
2. ¿Afecta la dirección del temblor de tierra el patrón del sismógrafo? Utiliza una brújula para colocar la caja de tal manera que la cinta apunte en la dirección norte-sur. Repite el experimento, sacudiendo la caja desde cuatro direcciones, norte (atrás), sur (enfrente), este (lado derecho) y oeste (lado izquierdo). **¡Gana puntos en la feria de ciencias!:** Utiliza el modelo como parte del módulo de exhibición de tu proyecto. Rotula cada sismograma con la dirección de las vibraciones.

¡TE TOCA TIRAR!

Construye un sismógrafo sensible que utiliza un haz luminoso. Coloca un tazón lleno de agua en una mesa. Pide a tu ayudante que sostenga una linterna de tal modo que el haz luminoso caiga en la superficie del agua y sea reflejado hacia la pared más próxima. Observa el reflejo sobre la pared mientras mueves suavemente la superficie del agua con un dedo. Produce otros temblores pequeños golpeando el tazón o la mesa.

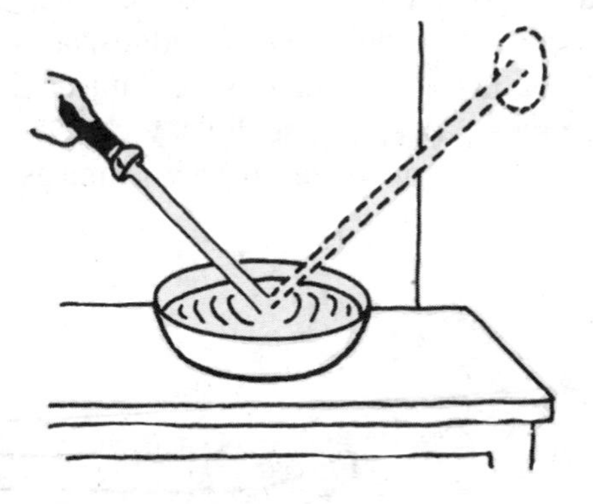

¡SIGUES TIRANDO!

Andrija Mohorovicic (1857-1936), sismólogo yugoslavo, analizó los sismogramas de un terremoto ocurrido en los Balcanes en 1909. Lee acerca de este científico y piensa en las siguientes preguntas:

- ¿Qué descubrió Mohorovicic en los sismogramas acerca de la velocidad de las ondas sísmicas a profundidades próximas a los 40 kilómetros?
- ¿De qué es abreviatura *Moho*?

Ruido sísmico

PROBLEMA

¿Cómo se transmite la energía de las ondas sísmicas P a través de la Tierra?

Materiales

- tijeras
- regla
- cordel
- cinta adhesiva (*masking tape*)
- 5 canicas

Procedimiento

1. Corta 5 tramos de cordel de 30 cm cada uno.
2. Pega con cinta un tramo de cordel en cada canica.
3. Coloca el extremo libre de cada cordel en el borde de una mesa. Ajusta la posición y longitud de los cordeles para que las canicas estén a la misma altura y tocándose una con otra. Sujeta cada cordel con cinta adhesiva.
4. Lleva hacia atrás una de las canicas de los extremos y, después, suéltala.
5. Observa el movimiento de las canicas.

Resultados

La canica se proyecta hacia abajo, golpeando la canica más próxima en su trayectoria y detiene su movimiento. La canica del extremo opuesto sale despedida hacia fuera y regresa a su posición original golpeando la segunda canica que está junto a ella. El ciclo de las canicas de los extremos proyectándose hacia atrás y hacia adelante continúa durante algunos segundos.

¿Por qué?

Al levantar la canica del extremo se le proporciona energía, la cual se transfiere a la canica que golpea. Esta energía se pasa de una canica a la siguiente, a medida que cada canica empuja contra la siguiente. La canica del extremo opuesto es empujada hacia afuera del grupo. La transferencia de energía de una canica a la siguiente simula la transferencia de energía entre partículas de la Tierra durante una onda de presión primaria de un temblor de tierra, denominada **onda sísmica P**.

El primer signo de que ha ocurrido un temblor de tierra es un golpe como de martillo que se siente y escucha cuando una onda P sale por la superficie de la Tierra. Antes de eso, las ondas P se mueven a través de líquidos y sólidos, **comprimiendo** (apretando en-

tre sí) las partículas que están directamente enfrente de ellas. Las partículas comprimidas vuelven rápidamente a su posición original tan pronto como la energía sigue su curso. La corteza de la Tierra se mueve hacia arriba cuando es golpeada con la energía de la onda P y después vuelve a su lugar cuando la energía continúa con su movimiento.

¡EMPIEZA EL JUEGO!

1. ¿Se afectaría la transmisión de energía si las canicas no estuvieran alineadas? Mete trocitos de plastilina abajo de los cordeles en el borde la mesa para cambiar la posición de las canicas. Asegúrate de que las canicas se tocan en algún punto, pero con cada canica a una altura diferente.
2. ¿Resultaría afectada la transferencia de energía si se cambia la distancia entre las partículas? Repite el experimento original separando cada una de las cintas que sostienen las canicas de tal modo que haya un pequeño espacio entre cada canica.

¡TE TOCA TIRAR!

1. Utiliza un resorte de plástico o *slinky* para hacer una demostración del movimiento de las partículas de una onda sísmica P cuando se mueve del punto inicial de un temblor, llamado **foco**, al punto de la superficie terrestre situado directamente encima del foco, denominado **epicentro**. El *slinky* puede usarse como parte de la presentación de tu proyecto: estíralo un poco en el sentido vertical y sujeta las primeras vueltas de arriba y de abajo en el bastidor. Comprime cuatro o cinco vueltas de uno de los extremos e, inmediatamente, suéltalas.
2. Las ondas sísmicas se mueven más despacio en la arena debido a que la energía de las ondas avanza en diferentes direcciones cuando las partículas de arena se mueven hacia afuera en múltiples direcciones. Para hacer una demostración de esto, cubre el extremo de un tubo de cartón con una toalla de papel. Sujeta la toalla de papel en el tubo con una liga. Llena el tubo con arroz o alpiste. Usa tus dedos para ejercer presión sobre el arroz mientras intentas empujar el arroz hacia abajo y hacia arriba a través de la toalla de papel.

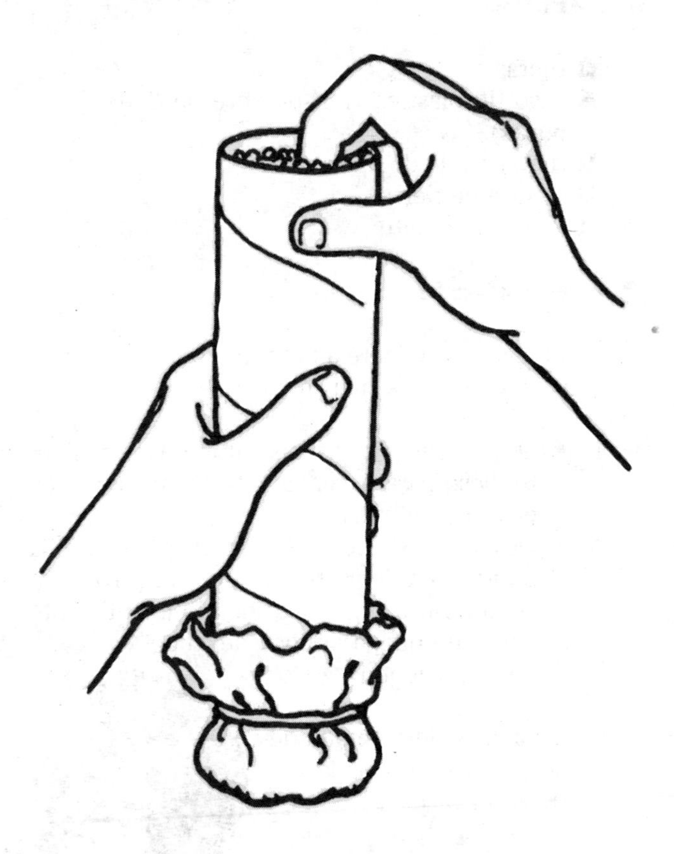

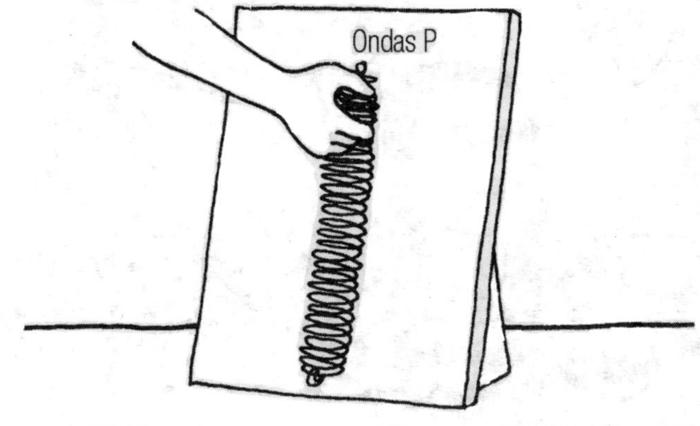

¡SIGUES TIRANDO!

Las ondas P son las ondas sísmicas que se mueven con mayor rapidez. Averigua la velocidad de las ondas P cuando viajan a través de los diferentes estratos terrestres: corteza, manto y núcleo. Exhibe el diagrama de una sección transversal de la Tierra, con las velocidades de las ondas P indicadas para cada estrato.

Levantador subterráneo

PROBLEMA

¿De qué manera cambia el vulcanismo intrusivo (movimiento volcánico bajo la superficie de la Tierra) la forma de la corteza terrestre?

Materiales

- tijeras
- vaso de plástico transparente de 300 ml (10 onzas)
- tubo grande de pasta dental
- ½ taza de tierra
- ayudante adulto

Procedimiento

1. Pide a tu ayudante adulto que prepare el vaso según los pasos siguientes:
   - Desde el interior del vaso, usar un instrumento filoso para hacer un agujero pequeño en el fondo del vaso.
   - Desde el exterior del vaso, insertar la hoja puntiaguda de las tijeras en el agujero y hacerla girar a fin de agrandarlo lo suficiente para que quepa la boca del tubo de pasta dental.
2. Tapa el agujero con un dedo mientras vacías la tierra en el vaso.
3. Quita la tapa e inserta la boca del tubo de pasta dental en el agujero.
4. Pide a tu ayudante que sostenga el vaso mientras tú aprietas el tubo para hacer que la pasta dental entre en el vaso.

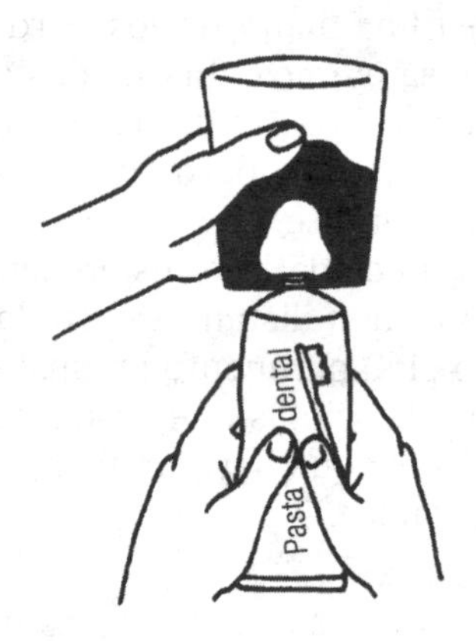

5. Observa el contenido del vaso y presta especial atención a su superficie cuando entra la pasta dental.

Resultados

Conforme la pasta dental entra en el vaso, la tierra es empujada hacia arriba, produciéndose una elevación en forma de domo en su superficie.

¿Por qué?

A la roca líquida bajo la superficie de la Tierra se le llama **magma**. La presión que reciben las concentraciones de magma situadas a grandes profundidades en la Tierra las fuerza hacia arriba. El magma que sale a la superficie se llama **lava**. Este movimiento de magma en el interior de la Tierra se conoce como **vulcanismo intrusivo**. El vulcanismo intrusivo es el responsable de los flujos de magma que se enfrían y endurecen antes de alcanzar la superficie; a estos flujos endurecidos se les llama **intrusiones**. Hay diferentes tipos de intrusiones, porque el magma se endurece en muchas posiciones cuando se enfría. El magma endurecido o solidificado forma las **rocas ígneas**. Una intrusión como domo se llama **lacolito**, y se forma cuando el magma empuja hacia arriba la roca que está encima. En el experimento, la pasta dental simula la formación de un lacolito. La pasta en forma de hongo empuja hacia arriba la tierra del vaso que está sobre ella, produciendo un montículo en su superficie.

¡EMPIEZA EL JUEGO!

¿Qué ocurriría si los estratos rocosos restringieran el movimiento del magma? Repite el experimento agregando piedras a la mezcla de tierra e insertando un vaso de plástico vacío en el vaso con tierra. Pide a tu ayudante que empuje hacia abajo el vaso vacío para restringir el movimiento del suelo cuando tú fuerces a entrar la pasta dental en el vaso con tierra. **¡Gana puntos en la feria de ciencias!:** Usa las descripciones de la siguiente sección para identificar el tipo de intrusión formado. Rotula y exhibe dibujos de los modelos de este experimento y del original.

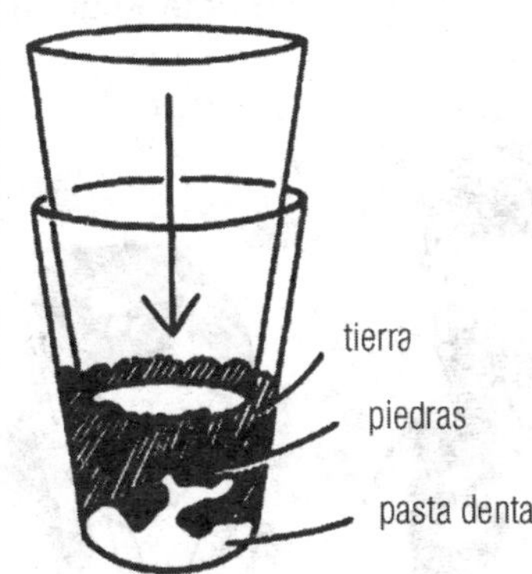

¡TE TOCA TIRAR!

1. Los cuerpos de roca ígnea intrusiva se clasifican de acuerdo con su forma y su relación con la roca circundante. Emplea la descripción de cada tipo de estructura rocosa y el diagrama para construir un modelo de plastilina que muestre las estructuras de las rocas formadas por actividad intrusiva. El modelo resultante lo puedes usar como parte del módulo de exhibición de tu proyecto.

- **Batolitos:** Grandes intrusiones bajo la superficie de la Tierra.
- **Diques:** Intrusiones verticales y angostas que ascienden y se interrumpen a través de estratos rocosos horizontales.
- **Lacolitos:** Intrusiones en forma de hongo o domo que empujan hacia arriba los estratos rocosos que están encima de ellas.
- **Vetas:** Intrusiones horizontales delgadas intercaladas entre otros estratos rocosos. También se conocen como *sills*.
- **Macizos:** Intrusiones bajo la superficie terrestre que son de menor tamaño que los batolitos. Se les llama también *stocks*:

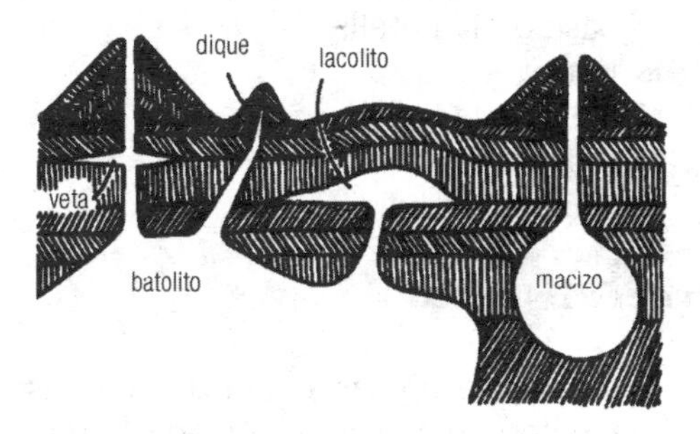

2. El granito es el tipo más común de roca ígnea intrusiva. La composición del granito puede variar dependiendo de la clase y proporción de los minerales presentes en el magma que lo formó. Compra diferentes muestras de granito en una tienda de rocas o recoge tus propias muestras. Usa estas rocas como parte del módulo de exhibición en el que se muestren las diferentes formas de las intrusiones y su composición.

¡SIGUES TIRANDO!

Las montañas con forma de domo, como las Montañas Henry en el sur de Utah o las Colinas Negras de Dakota del Sur, son vastas montañas circulares que se formaron cuando los estratos rocosos fueron levantados. Averigua más acerca de las formas del terreno creadas por intrusiones. ¿Cómo es la superficie en áreas donde las intrusiones quedan expuestas cuando las rocas a su alrededor se desgastan por la erosión? La Sierra Nevada de California es un ejemplo de batolitos expuestos. Identifica otras áreas expuestas creadas por intrusiones.

Lenta, pero implacable

PROBLEMA

¿Cómo afecta la viscosidad de la lava la velocidad a la que fluye?

Materiales

- tijeras
- botella de plástico transparente de líquido lavatrastes con tapa de levantar
- regla
- plumón
- plastilina
- frasco con la boca un poco más chica que la base de la botella
- jarra
- agua de la llave
- cronómetro
- ayudante adulto

Procedimiento

1. Construye un **viscosímetro**, que es el instrumento que se usa para medir la rapidez con la que fluye un fluido. Sigue estas instrucciones:
   - Pide a tu ayudante adulto que corte el fondo de la botella.
   - Voltea la botella de cabeza. En adelante, el fondo de la botella pasa a ser la parte superior de la misma. Traza dos líneas rectas horizontales en la botella: una a unos 2 cm (1 pulg) abajo del extremo abierto y la otra a 10 cm (4 pulg) de la primera línea.
   - Rotula la línea superior "Empieza" y la línea inferior "Termina".
   - Asegúrate de que está cerrada la tapa de la botella.
   - Coloca un cerco de plastilina alrededor de la boca del frasco.
   - Acomoda la botella de cabeza sobre la boca del frasco. Moldea la plastilina de tal modo que la botella quede derecha, pero sin incrustarse en la plastilina.
2. Llena la jarra con agua fría.
3. Vierte el agua en el extremo abierto de la botella hasta que el agua esté más o menos 1 cm arriba de la línea "Empieza".
4. Levanta la botella y abre la tapa.
5. Regresa de inmediato la botella a la boca del frasco. Cuando el nivel del agua llegue a la línea "Empieza", echa a andar el cronómetro.
6. Detén el cronómetro cuando el nivel del agua llegue a la línea "Termina".
7. Registra el tiempo del flujo en segundos.

VISCOSÍMETRO

8. Repite tres veces los pasos 2 al 7.
9. Promedia el tiempo del flujo del agua sumando los tres tiempos del flujo y dividiendo la suma entre 3. Los datos siguientes corresponden al experimento hecho por la autora y el tiempo promedio del flujo calculado:

Suma del tiempo del flujo (segundos)
= 39.2 + 39.4 + 39.3
= 117.9 segundos
Tiempo promedio del flujo
= 117.9 segundos ÷ 3
= 39.3 segundos

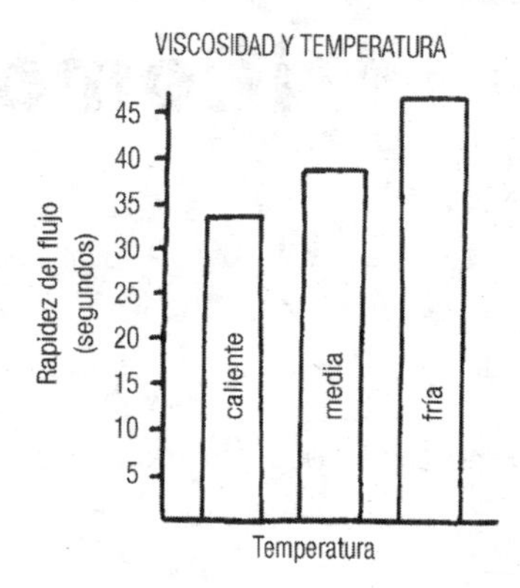

Resultados

El tiempo del flujo variará con la forma de la botella usada. El tiempo promedio obtenido en el experimento realizado por la autora fue de 39.3 segundos.

¿Por qué?

El tiempo que requiere el agua para salir del recipiente depende de su viscosidad. La **viscosidad** de un líquido es su resistencia a fluir. El agua tiene una viscosidad baja y sale rápidamente del viscosímetro.

En contraste, cada tipo de lava tiene diferentes viscosidades. Algunas son increíblemente espesas y tienen una viscosidad tan alta que se deslizan lentamente, avanzando apenas unos cuantos metros al día. Otras tienen una viscosidad baja y su velocidad de flujo se puede medir en kilómetros por hora.

¡EMPIEZA EL JUEGO!

1. ¿Cómo se compara la viscosidad de otros líquidos con la del agua? Repite el experimento, pero utilizando líquidos como aceite, líquido lavatrastes, miel y jarabe. Lava y seca el viscosímetro con una toalla de papel después de cada prueba, o prepara instrumentos separados para cada líquido probado. Compara el tiempo del flujo de los líquidos.
2. ¿La temperatura del líquido afecta su viscosidad? Repite dos veces el experimento anterior. Primero, reduce la temperatura de los líquidos enfriándolos en el congelador. Después, calienta los líquidos colocando cada uno de ellos en un recipiente con agua caliente, que puedes tomar de la llave del lavabo. **¡Gana puntos en la feria de ciencias!:** Elabora gráficas de barras que muestren los resultados de cada líquido probado. Coloca una etiqueta que identifique los resultados de la prueba original a temperatura ambiente como la temperatura media.

¡TE TOCA TIRAR!

¿Qué ocurre con la rapidez del flujo si la lava contiene partículas de un sólido? Construye dos volcanes de plastilina. Haz cada volcán de unos 15 cm (6 pulg) de alto con una pequeña depresión que simule su cráter; coloca cada uno en el centro de un plato. Vierte 1 taza (250 ml) de líquido lavatrastes en la depresión de uno de los volcanes. Observa la rapidez del flujo del líquido cuando se derrama por la ladera de la montaña de plastilina. Mezcla 3/4 de taza (190 ml) de líquido lavatrastes con 1/4 de taza (60 ml) de arena. Vierte esta mezcla en la punta del segundo volcán. De nuevo, observa la rapidez con que fluye la mezcla por la ladera del volcán. Toma fotografías de los experimentos y úsalas como parte del módulo de exhibición de tu proyecto.

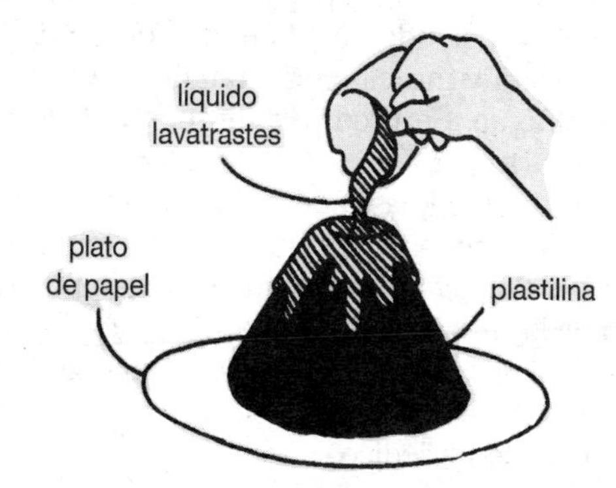

¡SIGUES TIRANDO!

La lava poco densa y caliente fluye libremente y forma capas uniformes cuando se enfría. Por el contrario, la lava espesa y fría más que fluir se desprende y avanza a tumbos; produce una textura irregular cuando se enfría. Averigua más acerca del movimiento de la lava y su apariencia cuando se enfría. Encuentra el significado de *pahoehoe* y *aa*, nombres hawaianos para dos tipos diferentes de lava.

¡Cómo has cambiado!

PROBLEMA

¿Cómo se forman las rocas ígneas?

Materiales

- tazón hondo
- colador del tamaño adecuado para el tazón
- 2 pliegos de cartulina —uno amarillo, uno azul
- licuadora (para ser usada por un adulto)
- 2 tazas (500 ml) con agua de la llave
- 1 cuchara de té, para medir 15 ml de pegamento escolar blanco
- reloj
- 10 a 12 hojas de papel periódico
- ayudante adulto

Procedimiento

1. Coloca el colador en la boca del tazón.
2. Rompe en trozos pequeños los dos pliegos de cartulina.
3. Mete los trozos de cartulina en la licuadora.
4. Agrega el agua y el pegamento en la licuadora.
5. Pide a tu ayudante adulto que encienda la licuadora y mezcle perfectamente la cartulina y el agua. Se producirá un emplasto espeso de cartulina.
6. Vierte el emplasto de cartulina en el colador y déjalo reposar durante unos 20 minutos.
7. Cuando haya transcurrido este tiempo, dobla por la mitad las hojas de periódico y ponlas en la mesa. Saca el emplasto húmedo de cartulina con la mano y colócalo encima de las hojas de periódico.

8. Deja que el emplasto de cartulina se seque y solidifique. Esto puede tomar de 2 a 3 días.

Resultados

El emplasto gris verdoso oscuro se vuelve un sólido grumoso.

¿Por qué?

La mezcla de los trozos de cartulina de colores diferentes y el agua representa la fusión de diferentes rocas bajo la superficie de la Tierra debido al calor y a la presión. Esta roca fundida se llama magma. Cuando el magma asciende a la superficie, se le llama lava. El magma y la lava se enfrían y solidifican para formar un tipo de roca llamada roca ígnea. El emplasto seco de cartulina representa magma o lava fría en forma de roca ígnea.

¡EMPIEZA EL JUEGO!

1. A partir de las rocas ígneas se forman las **rocas sedimentarias**. Estas rocas son formadas por depósitos de sedimentos, o pequeñas partículas de material depositadas por el viento, el agua o el hielo. Para hacer una demostración de esta transformación repite dos veces el experimento, primero utilizando cartulinas amarilla y azul, como en el experimento original, y luego con cartulinas blanca y amarilla. Para facilitar su manejo, trabaja con los emplastos antes de que hayan terminado de solidificar. Rompe la mitad del emplasto oscuro en trozos pequeños y forma con ellos una capa delgada prensándolos encima de un montón de hojas de periódico. Haz una segunda capa con la mitad del emplasto claro. Agrega una tercera y una cuarta capas, alternando el emplasto oscuro y el claro. Deja que el modelo se seque. Estos dos emplastos, el oscuro y el claro, representan dos muestras de lava. En la naturaleza, la lava se enfría y se solidifica para formar roca ígnea. A la fragmentación de las rocas en pedazos pequeños debido a procesos naturales se le llama **intemperización**. En este proceso hay desprendimiento de pequeñas partículas de roca ígnea. Las partículas se reconstruyen en capas y con el tiempo forman rocas sedimentarias. **¡Gana puntos en la feria**

de ciencias!: Utiliza el modelo que hiciste para representar la formación de rocas sedimentarias.

2. Las **rocas metamórficas**, que son las rocas formadas con otros tipos de roca por presión y calor, son resultado de las rocas sedimentarias. La demostración de esta transformación la puedes efectuar repitiendo el experimento anterior, excepto que después de que hayas colocado la última capa de emplasto, cúbrela con dos o tres hojas de periódico. En la naturaleza, las rocas metamórficas se forman por la presión aplicada a las rocas en forma sólida. Por tanto, no tienes que aplicar una presión muy grande, sino que puedes trabajar con las capas antes de que solidifiquen. Pasa tres o cuatro veces un rodillo de pastelero hacia adelante y hacia atrás encima del periódico que cubre las capas de emplasto. Presiona tan fuerte como puedas para aplanar al máximo las capas. Retira el emplasto presionado y ponlo a secar sobre un periódico. **¡Gana puntos en la feria de ciencias!:** Utiliza el modelo para representar la formación de roca metamórfica.

¡TE TOCA TIRAR!

1. Las rocas provienen de otras rocas. Las rocas ígneas se forman cuando se funden rocas sedimentarias o metamórficas y posteriormente se enfrían. Las rocas sedimentarias se constituyen a partir de sedimentos de rocas metamórficas o ígneas. Estos sedimentos se forman como resultado de la intemperización y se depositan en capas. Las capas se compactan y se cementan. Las rocas metamórficas se forman cuando las rocas ígneas o sedimentarias son transformadas por calor y presión. Este proceso interminable mediante el cual cambian las rocas de un tipo a otro se llama el **ciclo de las rocas**. Dibuja y exhibe un diagrama similar al que se muestra para representar el ciclo de las rocas.

¡SIGUES TIRANDO!

1. Toda roca puede cambiar a cualquiera de los otros dos tipos de rocas. ¿Una roca puede cambiar a una roca diferente y seguir siendo el mismo tipo de roca? Por ejemplo, ¿el granito, una roca ígnea, puede calentarse y enfriarse para formar un tipo diferente de roca ígnea? Averigua y prepara una presentación que muestre los diferentes cambios posibles.
2. El calor y la presión pueden cambiar el granito, una roca ígnea, en cuarcita. Averigua más acerca del ciclo de las rocas. Haz diagramas como el que se presenta aquí que muestren los nombres y tipos de las rocas, así como la manera en que cambian.

CICLO DE LAS ROCAS

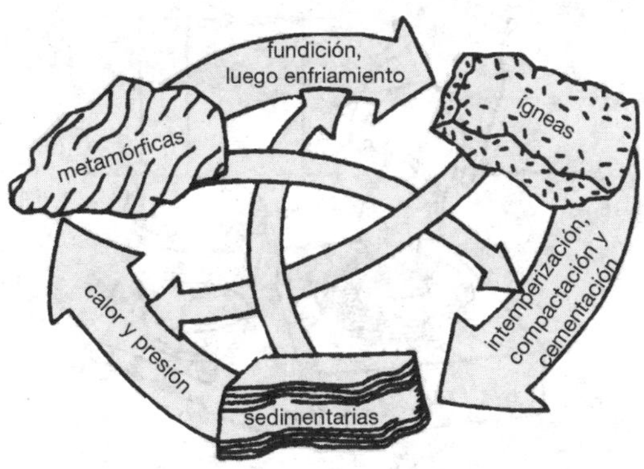

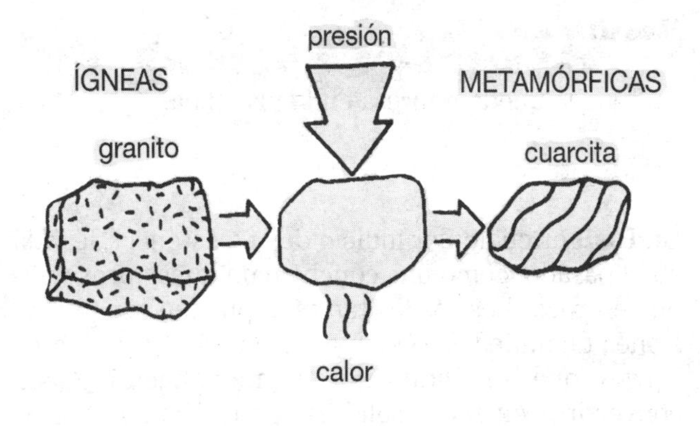

Registros imborrables

PROBLEMA

¿Qué son los fósiles?

Materiales

- concha de mar (o un jabón pequeño con forma de concha)
- barra de plastilina con una superficie mayor que la concha
- vaselina

Procedimiento

1. Cubre la superficie superior de la plastilina con una capa delgada de vaselina.
2. Presiona firmemente la cara exterior de la concha en la plastilina hasta introducir la mayor parte de la concha.
3. Levanta con suavidad la concha de la plastilina.

Resultados

La concha queda impresa en la plastilina.

¿Por qué?

Un **fósil** es cualquier indicio de la existencia de vida en el pasado, como una concha o un hueso preservados en roca. Los fósiles también pueden ser impresiones de animales o plantas hechas en sedimentos suaves que se endurecieron gradualmente hasta convertirse en rocas sólidas. Los fósiles son restos de un organismo enterrados en sedimento. Los restos se descomponen completamente conforme el sedimento se endurece para formar roca, dejando en esta última una cavidad con el tamaño y forma del organismo. Esta impresión de un organismo dentro de la cavidad de una roca se llama **molde fósil**.

Este experimento muestra la formación de un molde fósil. La concha corresponde a los restos del organismo y la plastilina es el sedimento suave que se endurecerá para formar una roca. La marca dejada por la concha es el modelo de un molde fósil.

¡EMPIEZA EL JUEGO!

1. La cavidad en la que se le puede dar forma a un objeto se llama **molde**. Un molde fósil puede usarse para crear una reproducción de la textura superficial del organismo. Repite el experimento para hacer otra impresión de la concha. En un vaso de papel, mezcla 2 cucharadas soperas (30 ml) de yeso con 1 cucharada sopera (15 ml) de agua de la llave; después revuélvela con un palito. Llena el molde con el yeso fresco. Deja que el yeso se seque (de 20 a 30 minutos); después, quita la plastilina. El yeso seco conserva la textura superficial real del objeto original, la concha. *NOTA: No laves el vaso de papel ni el palito en el fregadero, ya que el yeso puede tapar el drenaje.*
2. En las condiciones correctas en la naturaleza, el lodo que llena los moldes fósiles se endurecerá y conservará la forma del molde.

Cuando un molde se llena con una sustancia que se endurece como el lodo o el yeso, el resultado es una reproducción sólida de un organismo, llamada **vaciado**. Los vaciados tienen la misma forma exterior que los organismos. Los vaciados de lodo que cambian a roca forman las impresiones fósiles del organismo. Haz un vaciado de lodo repitiendo el experimento anterior, pero reemplazando el yeso con tierra de jardín. **¡Gana puntos en la feria de ciencias!:** Utiliza el molde y el vaciado de la concha como parte del módulo de exhibición.

¡TE TOCA TIRAR!

1. Otra manera de mostrar cómo se forman los moldes fósiles en rocas sedimentarias se describe en el experimento 26. Sigue los pasos descritos en ese experimento para hacer una impresión de tu mano. Exhibe fotografías del procedimiento y los resultados para representar la formación de un molde.
2. El **metamorfismo** es el proceso mediante el cual las rocas cambian de un tipo a otro debido a la presión o al calor. ¿De qué manera afecta a los fósiles? Utiliza el modelo del molde fósil hecho en el experimento anterior para representar la manera en que la presión cambia a las rocas sedimentarias en rocas metamórficas. Pasa un rodillo de panadero hacia atrás y hacia adelante por el molde endurecido. Toma fotografías del molde antes y después de aplicar la presión; con este material puedes hacer un cartel que represente los efectos del metamorfismo. El título del cartel podría ser "Fósiles y Metamorfismo".

¡SIGUES TIRANDO!

1. Los fósiles se encuentran con mayor frecuencia en calizas y en esquistos que en areniscas. Averigua más acerca de los fósiles y de las rocas en las que se encuentran. ¿Por qué los fósiles se encuentran en las rocas sedimentarias pero no en las rocas ígneas o metamórficas? ¿Qué son las calizas fosilíferas?
2. La madera petrificada se forma cuando los minerales de sílice de las aguas subterráneas reemplazan las fibras o llenan los poros de la madera enterrada. ¿Cuánto tiempo requiere una petrificación completa? ¿Dónde se encuentra madera petrificada con la calidad de una gema?

¡Qué formas!

PROBLEMA

¿Cómo se acomodan los átomos y las moléculas para formar minerales?

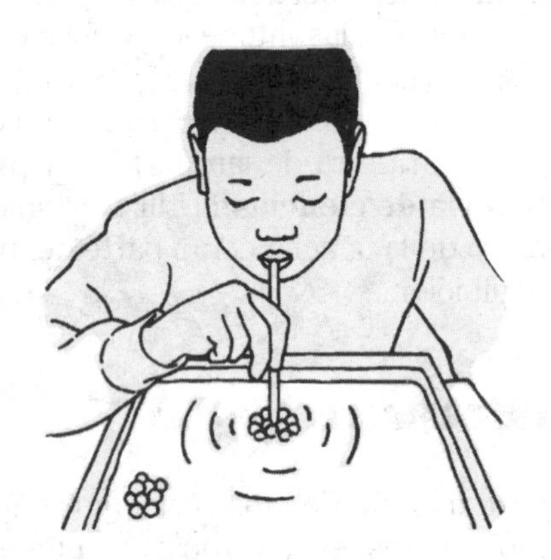

Materiales

- charola para hornear, grande y poco profunda
- agua de la llave
- cucharadita de líquido lavatrastes
- cuchara
- popote

Procedimiento

1. Llena la mitad de la charola con agua; después, agrega el líquido lavatrastes.
2. Mezcla cuidadosamente los dos líquidos con la cuchara, sin que se hagan burbujas.
3. Coloca uno de los extremos del popote bajo la superficie del agua.
4. Lenta y suavemente, sopla por el popote para formar racimos de 5 a 15 burbujas. *PRECAUCIÓN: Sólo exhala por el popote. No inhales.*
5. Mueve el popote a un sitio diferente y sopla para hacer una sola burbuja.
6. Mueve la burbuja con el popote hasta que toque el racimo de burbujas.
7. Mueve el popote a un lugar diferente y sopla por él como antes para formar un racimo de 5 a 15 burbujas.
8. Mueve uno de los racimos de burbujas con el popote hasta que toque el otro racimo.

Resultados

La burbuja sola se une al racimo de burbujas. Los dos racimos de burbujas se unen, formando un solo racimo.

¿Por qué?

Las burbujas representan las partículas químicas de un mineral. Las **partículas químicas** son los **átomos** (las unidades de construcción de la materia) o las moléculas que constituyen los minerales y toda la materia. Un **mineral** es un sólido formado por la naturaleza en la Tierra a partir de sustancias que nunca fueron plantas ni animales. Se dice que estas sustancias son **inorgánicas**. La adición de cada burbuja al racimo de burbujas representa el crecimiento de un **cristal** mineral, que es un sólido constituido por átomos dispuestos en un patrón ordenado y regular. Las partículas químicas, al igual que las burbujas, pueden moverse en un líquido. Así como una sola burbuja o un racimo de burbujas se mueve a un sitio donde encaja en el racimo de burbujas, las partículas químicas disueltas en un líquido se mueven hasta el sitio correcto para incorporarse con otras partículas.

Una de las cuatro características básicas de los minerales es su composición química definida, con los átomos dispuestos en un patrón ordenado y regular. Una vez que una partícula química, al igual que la burbuja, se mueve al sitio correcto, se mantiene ahí por la atracción ejercida con las otras partículas químicas. A esta atracción entre partículas químicas iguales se le llama **cohesión**. La forma y el tamaño de las partículas químicas determinan la manera particular en que se distribuyen y el patrón que forman.

¡EMPIEZA EL JUEGO!

Muestra la manera en que el tamaño de las burbujas afecta los resultados. Repite dos veces el experimento, primero utilizando un popote delgado y después reemplazando el popote con el tubo de cartón de un rollo de toallas de papel. **¡Gana puntos en la feria de ciencias!:** Utiliza fotografías como parte del módulo de exhibición del proyecto para representar la disposición y los patrones formados por las burbujas de diferentes tamaños.

¡TE TOCA TIRAR!

1a. Los cristales de azúcar son **orgánicos** (formados a partir de materia viva). No son minerales, pero pueden emplearse para representar las maneras en que se forman los cristales en los minerales. Pide a un adulto que prepare una solución de azúcar y gelatina con el procedimiento siguiente:

- Verter ½ taza de agua destilada en una cacerola chica.
- Esparcir 7 g (¼ de onza) de gelatina sin sabor en la superficie del agua y dejarla reposar durante 2 minutos.
- Revolver el líquido continuamente sobre una hornilla a media flama hasta que la gelatina se disuelva por completo.
- Agregar lentamente ¼ tazas (315 ml) de azúcar mientras se revuelve el líquido.
- Continuar revolviendo hasta que el azúcar se disuelva.
- Cuando el líquido empiece a hervir, retirar la cacerola del fuego.
- Dejar que la solución se enfríe durante 15 minutos.
- Vaciar la solución en un frasco de cristal de 500 ml (1 pinta).

Coloca el frasco donde pueda estar sin moverse durante dos semanas, por lo menos. Realiza observaciones diarias y traza diagramas del contenido del frasco. Exhibe los diagramas.

b. La gelatina se constituyó en una superficie en la que se adhirieron las moléculas del azúcar. ¿Las moléculas se adherirían a otras superficies? Pide a tu ayudante adulto que repita el procedimiento anterior, omitiendo la gelatina sin sabor. Corta un trozo de hilo de algodón un poco más largo que la altura del frasco. Ata un clip en uno de los extremos del hilo de algodón. Mete el clip en el frasco con la solución de tal modo que descanse en el fondo del frasco. Ata el extremo libre del hilo en el centro de un lápiz y colócalo en la boca del frasco. Realiza observaciones diarias y elabora diagramas del contenido del frasco durante al menos dos semanas.

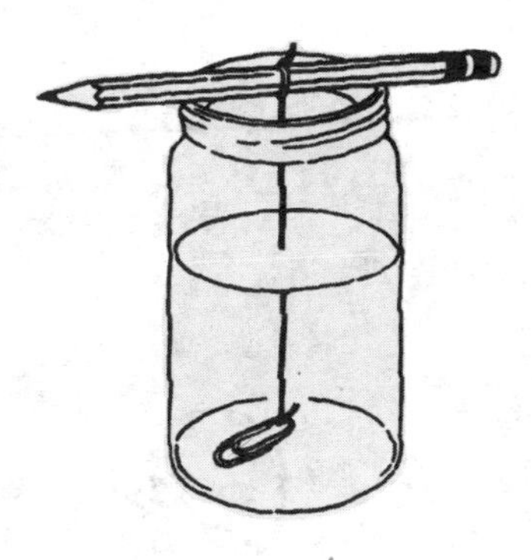

¡SIGUES TIRANDO!

Averigua más acerca de la formación de los minerales. ¿Qué es una geoda? ¿Cómo se forman las geodas? ¿Cuál es el mineral que se encuentra con mayor frecuencia en las geodas?

¿Cómo te llamas tú?

PROBLEMA

¿Cómo le pones su identificación a una colección de minerales?

Materiales

- muestras de minerales (encontradas en tu localidad o compradas en tiendas especializadas en el ramo)
- líquido corrector blanco con aplicador
- reloj
- plumón negro indeleble de punto fino
- 2 tarjetas para fichas por cada muestra de mineral
- 2 tarjeteros

Procedimiento

1. Etiqueta cada muestra de mineral según los pasos siguientes:
   - Aplica un poco de líquido corrector en cada muestra de mineral. La mancha blanca debe quedar en un área irrelevante del mineral.
   - Aguarda 2 ó 3 minutos para dejar que la mancha se seque.
   - Escribe con el plumón un número de referencia en cada mancha.
2. Prepara un fichero como sigue:
   - Anota el número de referencia de cada muestra de mineral en una tarjeta para fichas.
   - Anota los detalles de cada muestra, incluyendo los siguientes puntos:
     a. nombre del ejemplar.
     b. dónde se obtuvo (si se encontró en la naturaleza, incluir información acerca de otros minerales o rocas de la localidad).
     c. características de identificación, como color, **brillo**, dureza, **crucero** (la tendencia de un mineral a resquebrajarse a lo largo de una superficie uniforme) y **raspadura** (el color del polvo dejado cuando un mineral se talla contra una superficie irregular más dura). Estas características de identificación pueden encontrarse en una guía de campo de rocas y minerales, como *The Audubon Society Field Guide to North American Rocks and Minerals*, de Charles W. Chesterman (Nueva York: Knopf) o en la obra *Rocks and Minerals*, de Chris Pellant (Nueva York: Dorling Kindersley).
   - Coloca las tarjetas en uno de los tarjeteros en orden numérico.
   - Elabora un segundo juego de tarjetas con información idéntica, pero coloca las fichas en el otro tarjetero en orden alfabético.

Resultados

Has creado un catálogo de fichas para una colección de minerales.

¿Por qué?

Las muestras numeradas y el juego de fichas ordenadas numéricamente te facilitan la identificación rápida de cada piedra de tu colección de minerales. El segundo juego de fichas en orden alfabético te permite buscar por nombre un mineral específico y su número de referencia correspondiente.

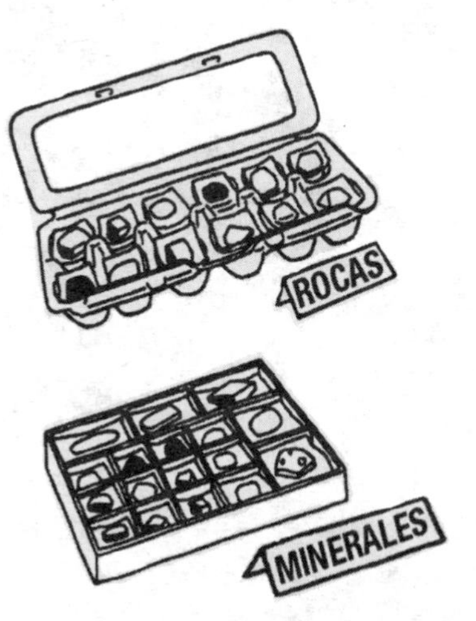

¡EMPIEZA EL JUEGO!

1a. ¿Cómo etiquetas una colección de rocas? Repite el procedimiento para etiquetar minerales, pero utiliza muestras de rocas y un color diferente del líquido corrector.

b. Junto con el número de referencia, anota una letra en cada roca para identificar su clase. Emplea el siguiente sistema de identificación con letras, o diseña uno propio: S–sedimentaria, M–metamórfica, I–ígnea.

2. Si algunas de las rocas contienen fósiles y deseas conservar la colección de fósiles separada del resto de tu colección de rocas, repite el procedimiento original para etiquetar minerales, pero usa muestras de fósiles y un tercer color del líquido corrector.

¡TE TOCA TIRAR!

1. Guarda tus colecciones de rocas y minerales de tal manera que las muestras de una y otra se mantengan separadas. Coloca las muestras en cartones de empaque para huevos o en cajas pequeñas acomodadas en un cajón, una charola, una caja plana o una charola para hornear. Coloca algodón abajo de cada ejemplar a modo de cojincillo. Todas tus muestras de rocas deben estar en una caja, tus muestras de minerales en otra y usa una tercera caja si prefieres guardar aparte las muestras de fósiles. Identifica tus colecciones con letreros hechos con tarjetas para fichas dobladas por la mitad a lo largo y rotuladas "Rocas", "Minerales" y "Fósiles".
2. Utiliza un bastidor de madera con entrepaños como módulo de exhibición del proyecto. Exhibe muestras individuales con una tarjeta de información que indique hechos importantes e interesantes acerca de la muestra, tales como su nombre, dónde la conseguiste y su uso. Menciona las pruebas de identificación, como las de dureza y raspadura, en la tarjeta. Haz una lista de las tendencias del crucero de cada mineral. Pon a la mano algunas muestras de rocas y minerales para que los observadores puedan tocarlas y sentirlas. Prepárate para responder las preguntas que te harán los observadores acerca de todas y cada una de las muestras exhibidas.

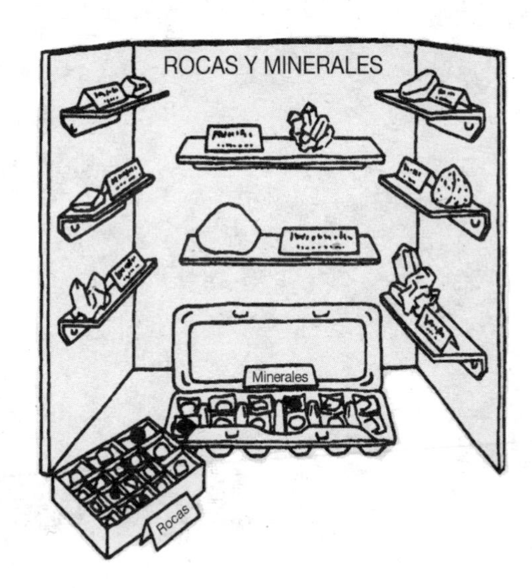

¡SIGUES TIRANDO!

1. Es posible determinar experimentalmente las pruebas de dureza, raspadura y peso específico. Para mayor información acerca de estas pruebas, busca más datos en la biblioteca de tu escuela o en una enciclopedia.
2. Acude a la biblioteca para estudiar los libros, revistas y artículos sobre rocas y minerales.

Ingeniería

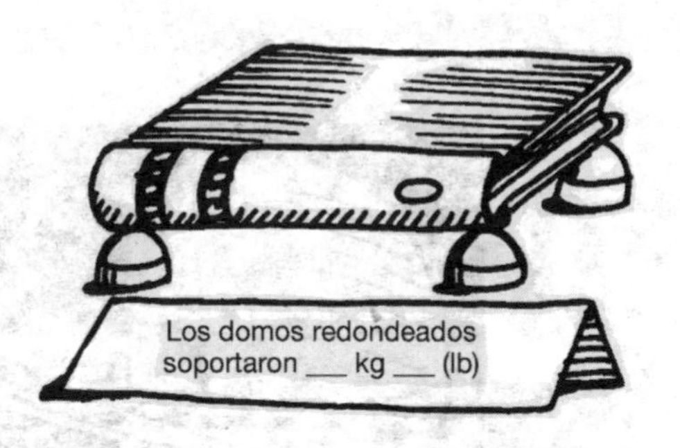
Los domos redondeados
soportaron ___ kg ___ (lb)

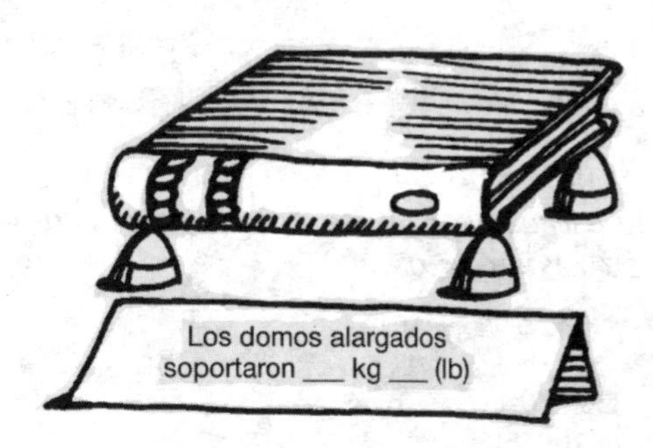
Los domos alargados
soportaron ___ kg ___ (lb)

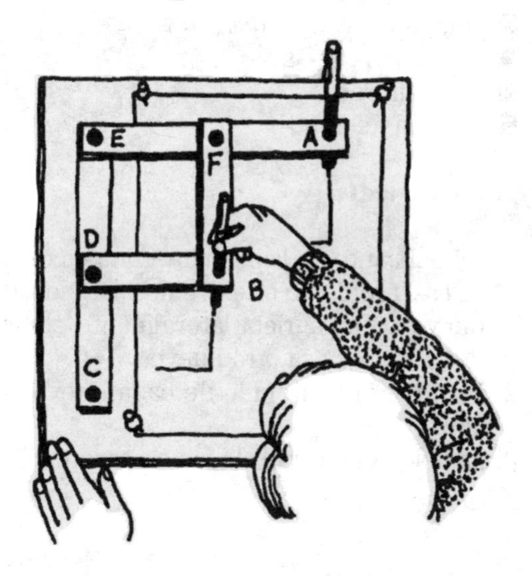
E
A
F
D
B
C

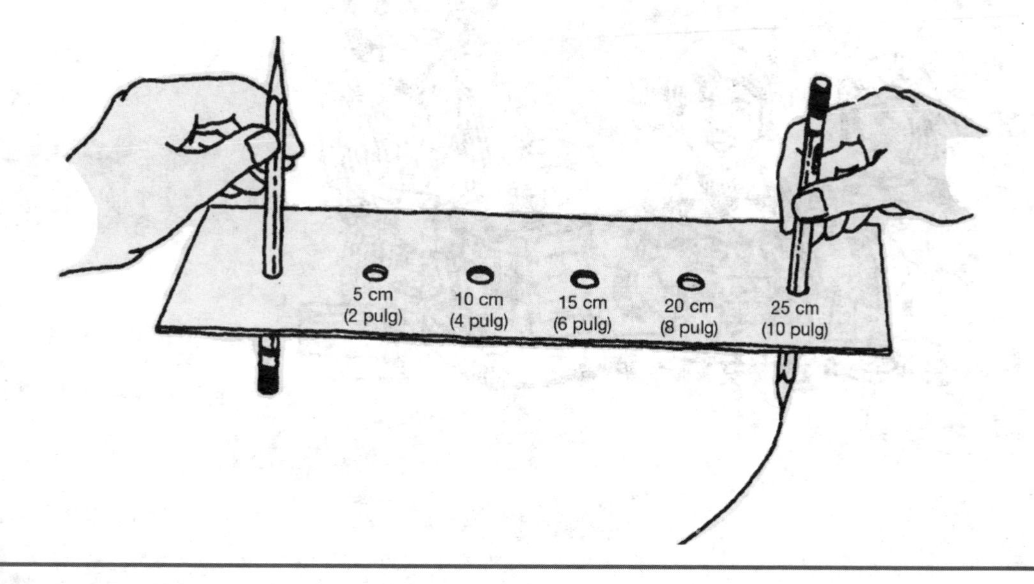
5 cm
(2 pulg)
10 cm
(4 pulg)
15 cm
(6 pulg)
20 cm
(8 pulg)
25 cm
(10 pulg)

¿Con un cascarón?

PROBLEMA

¿Cómo afecta la estructura molecular de un cascarón de huevo su resistencia?

Materiales

- cuchara de metal
- 4 huevos
- tazón
- agua de la llave
- toalla de papel
- cinta adhesiva (*masking tape*)
- tijeras para uñas
- varios libros
- báscula de baño

Procedimiento

1. Con el canto de la cuchara, rompe con cuidado el cascarón por el extremo alargado de cada huevo. Si se agrieta lateralmente el cascarón, descártalo y usa otro huevo.
2. Escurre el contenido de cada huevo en el tazón.
3. Enjuaga el interior de los cascarones.

4. Seca con cuidado el exterior de los cascarones con la toalla de papel.
5. Enrolla un tramo de cinta adhesiva a la mitad de cada cascarón, como se muestra; la cinta debe quedar en la misma posición en todos los cascarones.
6. Usa las tijeras para uñas para recortar en cada cascarón las puntas sobrantes alrededor de la orilla inferior de la cinta.
7. Con el extremo abierto hacia abajo, coloca los cascarones sobre una mesa en una disposición rectangular.
8. Coloca un libro sobre los cascarones; mueve los cascarones para que queden en las esquinas del libro.

9. Con todo cuidado, ve colocando los demás libros, uno a la vez, sobre los cascarones; espera 30 segundos antes de colocar cada libro. Sigue apilando libros hasta que escuches el ruido de una resquebrajadura. Registra cuántos libros causaron el primer resquebrajamiento.
10. Continúa colocando libros hasta que se colapsen los cascarones. Registra el número de libros requeridos para ocasionar el desplome.
11. Usa la báscula de baño para pesar los libros que resquebrajaron el primer cascarón; después, pesa todos los libros que rompieron uno o más de los cascarones.

Resultados

El número de libros que aguantarán los cascarones depende del peso de cada libro y de la forma de los cascarones usados. Los resultados obtenidos por la autora fueron que cinco libros con un peso de 7 kg (15 lb) produjeron la primera resquebrajadura y que con dos libros más pequeños, para un total de 8.5 kg (19 lb), se rompieron los cascarones.

¿Por qué?

Los cascarones de huevo están compuestos en gran parte por carbonato de calcio mineral. Las moléculas del carbonato de calcio están dispuestas en una estructura que adopta la forma de domo y que contiene los componentes del huevo. En el caso de los cascarones usados en el experimento, el peso colocado encima de cada uno se distribuye a lo largo de los lados curvos hasta la base. Ningún punto particular del domo soporta todo el peso, por lo que el peso soportado en conjunto es bastante respetable. La forma de domo es una estructura imitada por los arquitectos debido a su resistencia y a su capacidad de abarcar áreas considerables.

¡EMPIEZA EL JUEGO!

¿Soporta más o menos peso el extremo más alargado del cascarón? Repite el experimento, pero rompe el cascarón por su extremo más redondeado. Registra el número y el peso de los libros que producen el primer resquebrajamiento, así como el número y peso de los libros que rompen los otros cascarones. **¡Gana puntos en la feria de ciencias!:** Como parte del módulo de exhibición de tu proyecto, incluye nuevos cascarones preparados para cargar por los extremos

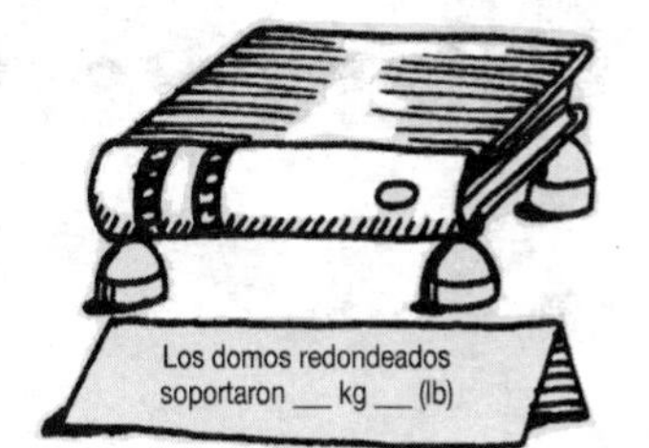

redondeados y por los extremos alargados. Exhibe los cascarones sosteniendo libros ligeros. Coloca un letrero con datos sobre el peso que puede soportar cada juego de cascarones.

¡TE TOCA TIRAR!

1. ¿Cuál es la disposición de las moléculas en los sólidos? Las moléculas de los sólidos no están muy apretadas unas con otras; existe mucho espacio en un sólido. Explica y haz un diagrama de la manera en que las "fuerzas de sujeción" entre las moléculas de un sólido le confieren una forma y un volumen definidos y cómo afectan su resistencia.
2. Observa y recoge muestras de diferentes tipos de sólidos. Haz comparaciones y saca conclusiones acerca de la resistencia de cada tipo de material. Prepara una lista de preguntas como éstas acerca de las muestras recogidas y descubre las respuestas: ¿Todos los trozos de madera son duros? ¿Todas las muestras de tela pueden rasgarse con facilidad? ¿Se rasga la tela con la misma facilidad en todas las direcciones? ¿Todas las muestras de papel tienen la misma resistencia? Exhibe las muestras, una lista de preguntas y la respuesta correspondiente a cada una de ellas.

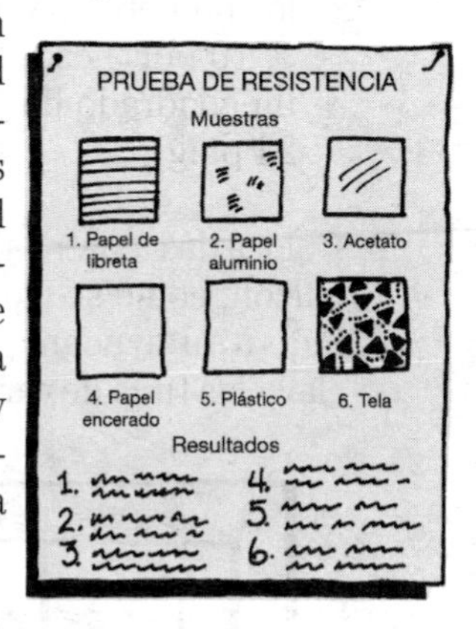

¡SIGUES TIRANDO!

Un peso puede colgarse perfectamente en algunos sólidos, pero no en otros. Esto se debe a la resistencia a la tracción del material. ¿Qué es la resistencia a la tracción? ¿Qué sólidos tienen mayor resistencia a la tracción?

¡Para verte mejor!

PROBLEMA

¿Cómo funciona un pantógrafo?

Materiales

- Tijeras
- regla
- caja de cartón de 60 cm (24 pulg) por lado, mínimo
- 1 clavo
- 5 clavos de ala de mosca (sujetapapeles redondos de latón)
- 2 marcadores
- tachuelas
- 1 pliego de papel liso para envolver
- Un ayudante adulto

Procedimiento

1. Pide a tu ayudante adulto que recorte las siguientes piezas de la caja de cartón:
   - dos tiras, identificadas con los números 1 y 2, de 5 cm × 45 cm (2 pulg × 18 pulg) cada una.
   - dos tiras más pequeñas, identificadas con los números 3 y 4, de 5 cm × 25 cm (2 pulg × 10 pulg) cada una.
   - un cuadrado de 60 cm × 60 cm (24 pulg × 24 pulg).
2. Coloca las cuatro tiras sobre el cuadrado de cartón, como se indica en el diagrama.
3. Pide a tu ayudante adulto que perfore con el clavo las tiras de cartón en los puntos A a F, como se muestra en el diagrama. *NOTA: Solamente en el punto C la perforación se hace a través del cuadrado de cartón.*

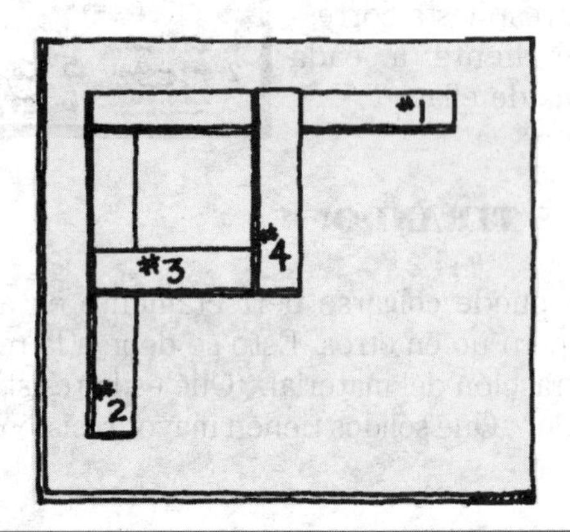

4. Utiliza los clavos de ala de mosca para unir las tiras de cartón en los puntos D, E, y F.
5. Fija con un clavo de ala de mosca la tira 2 en el cuadrado, donde se localiza el punto C.
6. Coloca los marcadores a través de los orificios A y B.
7. Usa las tachuelas para fijar al cuadrado de cartón un tramo de papel debajo de los marcadores.
8. Toma el marcador B y dibuja un cuadrado.
9. Compara el tamaño del cuadrado trazado por cada marcador.

Resultados

El cuadrado trazado por el marcador A es más grande que el trazado por el marcador B.

¿Por qué?

Un **pantógrafo** es una **máquina compuesta** hecha de palancas que sirve para cambiar el tamaño de los dibujos. (Las palancas se describen en el experimento 4.) La longitud de una palanca y la posición de su fulcro cambian la distancia que se mueve el extremo de la palanca; el extremo más alejado del fulcro se desplaza una mayor distancia. Las tiras 1 y 2 son palancas con sus fulcros en los puntos E y D. Como el marcador A está más alejado de su fulcro que el marcador B, el marcador A recorre una distancia más grande.

¡EMPIEZA EL JUEGO!

1. ¿Se puede trazar un dibujo a escala reducida? Repite el experimento dos veces: primero usa el marcador A para trazar el dibujo original; después, repite el experimento, pero ahora con el marcador colocado en un orificio perforado entre E y F. **¡Gana puntos en la feria de ciencias!:** Como parte de tu exposición, muestra fotografías de los pantógrafos utilizados en cada experimento, junto con los dibujos resultantes.
2. ¿Afecta los resultados si cambia la posición de la pieza de conexión en las palancas? Repite el experimento original dos veces, conectando la tira 4 en la perforación hecha entre los puntos E y F del experimento anterior. Después, conecta la tira en una nueva perforación entre los puntos F y A.

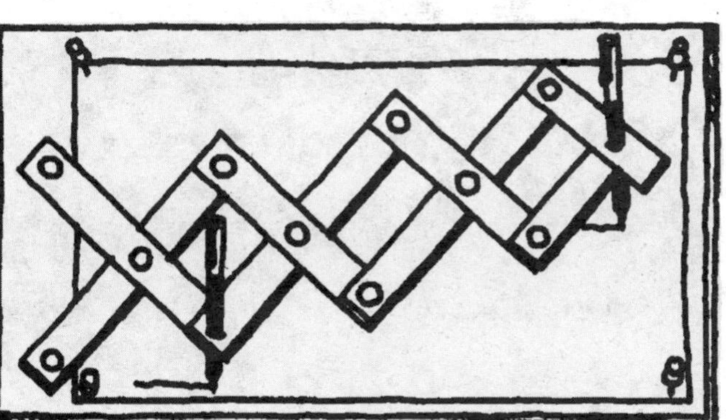

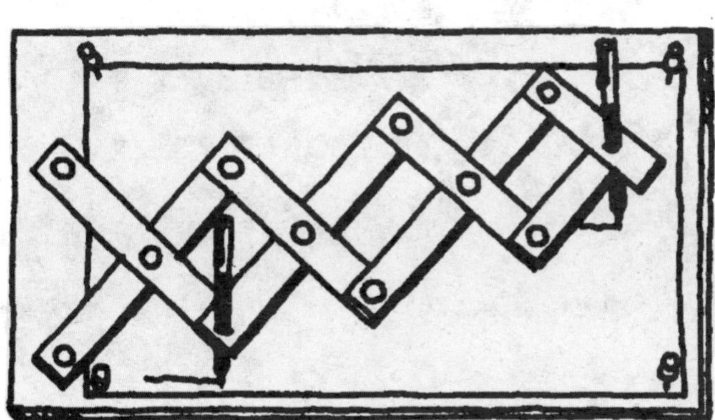

¡TE TOCA TIRAR!

1. Construye tu propio pantógrafo, o construye el que se muestra en el diagrama. Coloca marcadores en posiciones diferentes.
2. Con una máquina para hacer círculos se puede demostrar que el extremo más alejado del fulcro se mueve una mayor distancia. Construye esta máquina para hacer dibujos con una tira de cartón de 5 cm × 30 cm (2 pulg × 12 pulg). Marca un punto en uno de los extremos de la tira. Esta marca será el punto de inicio. Con una regla marca puntos cada 5 cm (2 pulg) a partir del punto de inicio e identifícalos. Pide a un adulto que en cada punto haga un orificio. Coloca la tira de cartón en el centro de una hoja de papel. Pon un lápiz vertical apoyado sobre su goma en el orificio del punto de inicio y sujétalo con firmeza. Para trazar un círculo de 25 cm (10 pulg) de diámetro, coloca un segundo lápiz en el orificio marcado con 25 cm (10 pulg). Mueve este lápiz presionando la punta contra el papel hasta que completes un círculo. Repite la operación, con el lápiz colocado en los diferentes orificios, para cambiar el tamaño de cada círculo.

¡SIGUES TIRANDO!

Christopher Scholes (1819-1890) inventó la primera máquina de escribir práctica en 1867. Esta máquina compuesta tiene una serie de palancas que cambian el pequeño movimiento de las yemas de los dedos sobre la tecla, que es un extremo de la palanca, en uno más grande, que ocurre en el otro extremo de la palanca; cuando este extremo se levanta, imprime una letra sobre la hoja de papel. Investiga más sobre las conexiones de las palancas en esta máquina y muestra diagramas simples de las palancas de conexión.

Ciencias físicas

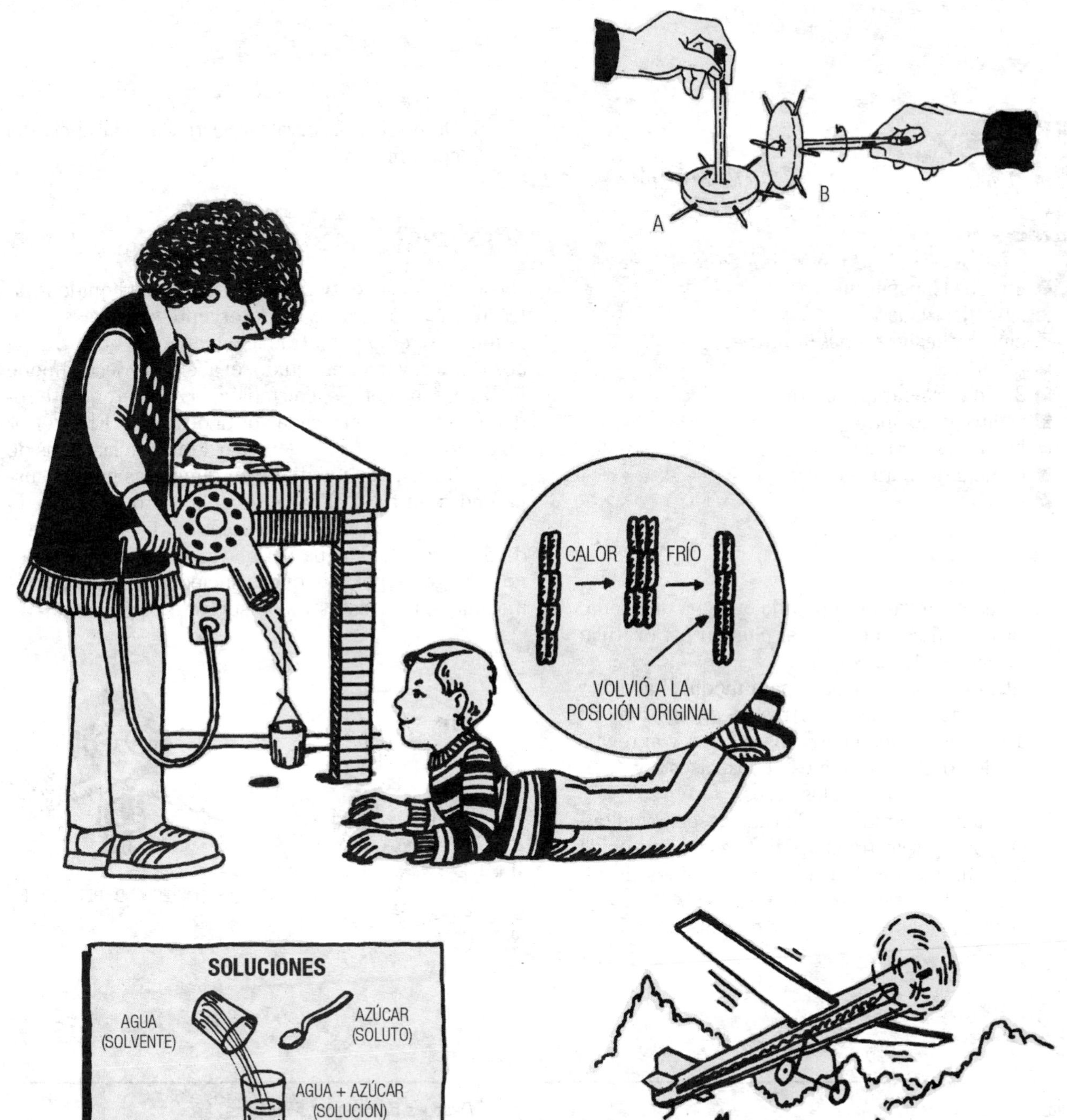

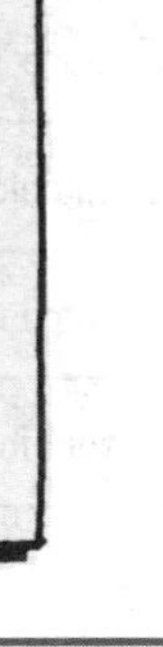

Poder limpiador

PROBLEMA

¿Cómo limpia la grasa el líquido lavatrastes?

Materiales

- 4 vasos transparentes
- agua destilada
- cinta adhesiva (*masking tape*)
- plumón
- 2 cucharas para medir de 5 ml
- aceite de cocina
- líquido lavatrastes
- 4 cucharas para revolver
- reloj

Procedimiento

1. Llena cada vaso a la mitad con agua destilada.
2. Usa la cinta adhesiva y el plumón para rotular los vasos #1, #2, #3 y #4.
3. Utilizando una cuchara para medir el aceite y otra para el líquido lavatrastes, agrega 5 ml de aceite de cocina en los vasos 2 y 4 y agrega 5 ml de líquido lavatrastes en los vasos 3 y 4.
4. Pon las cucharas en los vasos.
5. Revuelve el contenido de cada vaso 25 vueltas.
6. Observa y registra la apariencia del contenido de cada vaso inmediatamente después de revolver el contenido.
7. Deja que los vasos reposen durante 5 minutos.
8. De nuevo, observa y registra la apariencia del contenido de cada vaso.

¿Por qué?

Los vasos 3 y 4 contienen detergente del líquido lavatrastes. Las moléculas de detergente son largas y tienen un extremo que atrae al agua y otro que atrae al aceite. Al revolver el líquido, el aceite se descompone en diminutas gotitas. Las moléculas de detergente rodean y se adhieren a cada gotita de aceite. El exterior de la molécula de detergente se adhiere a las gotas de agua. El aceite se mantiene en diminutas gotitas suspendidas en todo el vaso de agua, pero es separado del agua por una cubierta protectora de las moléculas de detergente. El agua para lavar trastes que contiene detergente permite que la suciedad grasosa sea removida de los trastes y se disuelva.

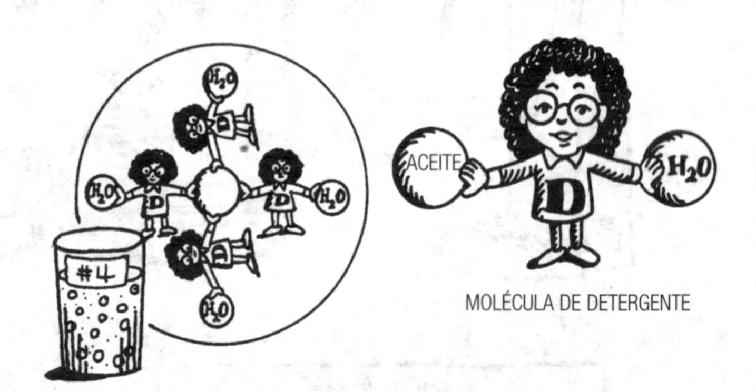

MOLÉCULA DE DETERGENTE

Resultados

Vaso	Después de revolver	Después de reposar 5 minutos
#1	claro	claro
#2	gotas de aceite arremolinándose por el agua	círculos de aceite flotando en la superficie del agua
#3	claro con algo de espuma	claro
#4	turbio con burbujitas flotando en el agua, algo de espuma	turbio

¡EMPIEZA EL JUEGO!

¿Afectaría los resultados la cantidad de detergente? Repite el experimento empleando diferentes cantidades de líquido lavatrastes.

¡TE TOCA TIRAR!

1. ¿Existe alguna diferencia en la efectividad de las diversas marcas de líquidos lavatrastes que hay en el mercado? Repite el experimento original utilizando detergente de marcas diferentes. Toma fotografías o consigue publicidad impresa de los productos que utilices. Exhibe estas ilustraciones junto con una tabla de resultados y el informe final de la comparación de la efectividad de las marcas.
2. ¿Contiene detergente el jabón líquido para lavarse el cabello (*shampoo*)? Repite el experimento anterior reemplazando el líquido lavatrastes con un *shampoo*. Puesto que los ingredientes del *shampoo* se mantienen en secreto, solamente puedes concluir que contiene una sustancia química que se comporta como un detergente en su función de separar aceites y grasa. Haz una comparación de la efectividad de los *shampoos* y exhibe los resultados junto con tu conclusión acerca de cuál resultó ser el mejor *shampoo* de acuerdo con tus pruebas.

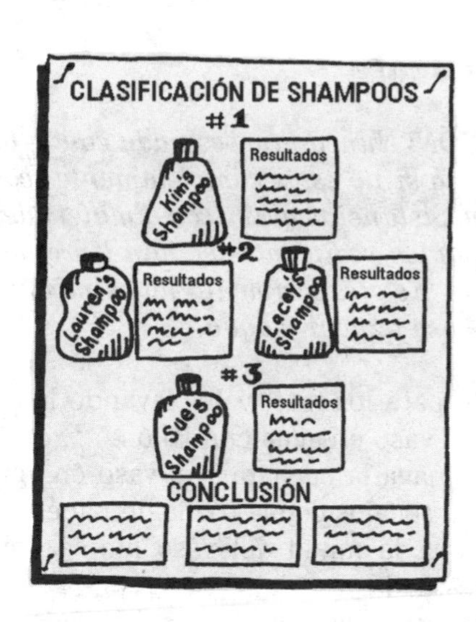

¡SIGUES TIRANDO!

1. Se dice que las moléculas de detergente tienen doble personalidad debido al comportamiento diferente de cada extremo de la molécula. Averigua por qué a uno de los extremos de la molécula se le llama hidrofílico y el resto de la molécula se denomina hidrofóbica.
2. ¿Qué son las enzimas y de qué manera los limpiadores enzimáticos fragmentan las manchas de proteínas que se impregnan en las fibras de una tela? ¿Cuál es la fuente de estas enzimas quitamanchas?

¡Ni un granito más!

PROBLEMA

¿El azúcar en agua puede formar una mezcla homogénea?

Materiales

- cuchara
- vaso
- líquido lavatrastes
- agua de la llave
- toalla de papel
- agua destilada
- 1 cucharadita (5 ml) de azúcar
- popote limpio

Procedimiento

PRECAUCIÓN: Nunca pruebes nada con la boca en el laboratorio si no estás completamente seguro de que no hay sustancias químicas o materiales tóxicos y de que los recipientes se han limpiado adecuadamente. Este experimento no es peligroso, ya que sólo se usa azúcar y agua.

1. Prepara los materiales lavando la cuchara y el vaso en agua con jabón.
2. Enjuaga la cuchara y el vaso en agua limpia; sécalos con la toalla de papel.
3. Llena la mitad del vaso limpio con agua destilada.
4. Agrega el azúcar al agua destilada.
5. Revuelve la mezcla hasta que no se vean partículas de azúcar.
6. Mete el popote en el vaso con la mezcla azúcar-agua.
7. Recoge una muestra de la mezcla azúcar-agua poniendo un dedo sobre el extremo superior del popote cuando lo saques del vaso.
8. Prueba el sabor de la muestra y toma una nota mental de su dulzura.
9. Usa el popote para probar el sabor de muestras del fondo, de en medio y de la parte superior de la mezcla azúcar-agua.
10. Compara el sabor de las tres muestras.

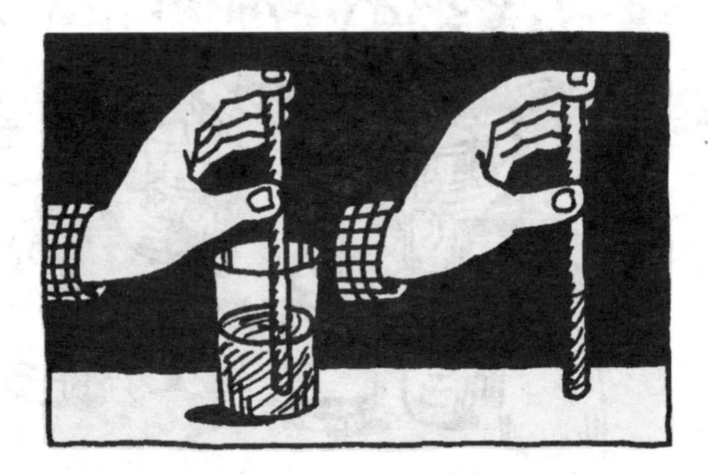

Resultados

Las tres muestras tienen el mismo sabor dulce.

¿Por qué?

En este experimento el azúcar es un **soluto**, una sustancia que se descompone en partes más pequeñas cuando se disuelve en otra sustancia llamada **solvente** —en este caso, el agua—. Las partículas disueltas de un soluto se mueven libremente en el solvente. A la combinación de un soluto con un solvente se le llama **solución**. Las moléculas de los cristales del azúcar se disgregan y se mueven entre las moléculas del agua. La solución azúcar-agua es **homogénea**, lo que significa que la proporción de las moléculas de azúcar con las de agua es la misma en todas partes. Las muestras de igual volumen tomadas de la solución contienen la misma proporción de moléculas de azúcar que de agua, independientemente del lugar donde se tomaron las muestras.

¡EMPIEZA EL JUEGO!

1. ¿Qué cantidad de azúcar se disolverá en el agua? Usa 1 taza (250 ml) de agua destilada. Agrega una cucharadita (5 ml) de azúcar cada vez, revolviendo el agua después de cada adición hasta que se disuelva com-

pletamente el azúcar. Sin olvidarte de registrarlas, continúa agregando al agua cantidades medidas de azúcar hasta que las partículas dejen de disolverse, sin importar cuánto revuelvas la solución. Se dice que una solución que ya no disuelve más soluto es una **solución saturada**.

2. ¿Cambiaría la cantidad de azúcar necesaria para hacer una solución saturada si el agua no estuviera destilada? Repite el experimento original utilizando agua de la llave.
3. ¿Afecta la temperatura del agua la cantidad de azúcar que se disolverá? Repite tres veces el experimento original, utilizando agua con hielo, agua de la llave fría y agua caliente. Coloca un termómetro en el agua y registra la temperatura. Retira el termómetro antes de agregar el azúcar. **¡Gana puntos en la feria de ciencias!**: Puedes usar una tabla de datos como la que se muestra para registrar y exhibir la temperatura de cada líquido y la cantidad de azúcar necesaria para producir una solución saturada.

¡TE TOCA TIRAR!

1. Elabora un diagrama como el que se muestra para explicar los siguientes términos: *soluto, solvente, solución, diluida, concentrada, saturada* y *no saturada*.
2. Las soluciones son mezclas en las que una sustancia se disuelve en otra sustancia. La solución azúcar-agua es un ejemplo de un sólido disuelto en un líquido. Estudia y presenta información acerca de otros tipos de soluciones tales como:

- un gas disuelto en un líquido (soda)
- un gas disuelto en un gas (aire)
- un líquido disuelto en un gas (el agua en el aire).

¡SIGUES TIRANDO!

A un sólido disuelto en otro sólido se le llama *aleación*. Cuando los metales se combinan unos con otros, sus propiedades cambian. El latón es una aleación de zinc y cobre; es más duro y resiste más el desgaste que el zinc o el cobre separados. Las aleaciones se usan en lugar del metal puro debido a sus propiedades especiales. Averigua más acerca de aleaciones como el latón, el bronce y el peltre. ¿Cuáles son sus propiedades especiales y cómo se aprovechan?

SOLUCIONES SATURADAS
Temperatura *versus* cantidad de soluto

Temperatura		Cantidad de soluto (azúcar)
fría	_______ °C (_______ °F)	_______ ml _______ cucharadas
tibia	_______ °C (_______ °F)	_______ ml _______ cucharadas
caliente	_______ °C (_______ °F)	_______ ml _______ cucharadas

¿Brinca de susto?

PROBLEMA

¿Cómo produce un imán movimiento en un alambre que lleva corriente?

Materiales

- 2 imanes redondos pequeños
- cinta de aislar
- 45 cm (18 pulg) de alambre calibre 18, sin aislador
- lápiz
- batería tamaño D
- ayudante adulto

PRECAUCIÓN: Cuando realices los experimentos de este proyecto, usa SOLAMENTE baterías; NUNCA uses tomas de corriente doméstica —pueden producir una descarga que puede matarte—. NO sostengas el alambre en las terminales de la batería por más de 1 segundo. El alambre puede calentarse y quemarte los dedos.

Procedimiento

1. Coloca los imanes sobre una mesa de madera, dejando un espacio entre ellos de aproximadamente 1 cm (3/8 pulg), de tal modo que el polo norte de uno de los imanes quede enfrente del polo sur del otro imán. (Los imanes se atraen en esta posición.)
2. Pega los imanes con la cinta de aislar en la mesa, como se muestra en el diagrama.
3. Enrolla una vuelta del alambre alrededor de los dos extremos del lápiz, dejando unos 10 cm (4 pulg) de alambre libres en cada extremo. Fija el alambre en el lápiz con cinta; debe quedar un espacio de 5 cm (2 pulg) entre las dos vueltas del alambre. Con esto se hace una vuelta en "U" en uno de los lados del lápiz.
4. Coloca el lápiz sobre la mesa de tal modo que los extremos libres del alambre queden en un lado del lápiz y la vuelta en "U" quede en medio de los imanes, pero sin tocarlos. Fija el lápiz en la mesa con cinta. La vuelta deberá quedar ligeramente arriba de la superficie de la mesa.
5. Coloca la batería en medio de los extremos libres del alambre y paralela al lápiz.
6. Enrolla cinta de aislar a 2.5 cm (1 pulg) de ambos extremos del alambre. Sosteniéndolo por la cinta, toca simultáneamente ambas terminales de la batería; retira de inmediato el alambre de la batería. Observa cualquier movimiento en la vuelta en "U" del alambre.

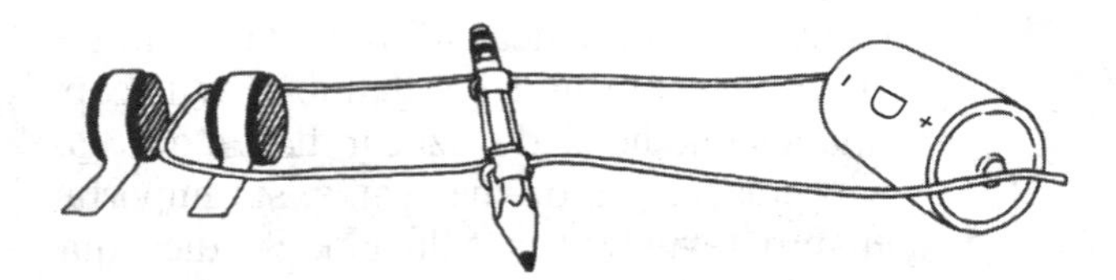

Resultados

La vuelta en "U" del alambre se mueve súbitamente hacia arriba o hacia abajo, dependiendo de la orientación de las terminales de la batería.

¿Por qué?

Un flujo de **electrones** (partículas de un átomo con cargas negativas) produce una **corriente eléctrica**. Los electrones se mueven con facilidad a través de materiales llamados **conductores eléctricos**, como el cobre y otros metales. Cuando una **corriente directa** (la corriente que fluye en una sola dirección) pasa a través de un conductor, como el alambre de cobre, se produce un campo magnético alrededor del alambre. Si el alambre que lleva la corriente se coloca en un campo magnético como el que existe entre los polos norte y sur de dos imanes, los dos campos magnéticos se oponen uno contra el otro. El resultado es una fuerza que tiende a expulsar el alambre fuera del campo magnético entre los dos imanes. Este movimiento se conoce como **efecto motor**.

¡EMPIEZA EL JUEGO!

1. ¿Afecta la dirección de la corriente los resultados? Repite el experimento invirtiendo la dirección de las terminales de la batería. **¡Gana puntos en la feria de ciencias!**: Los electrones fluyen de la ter-

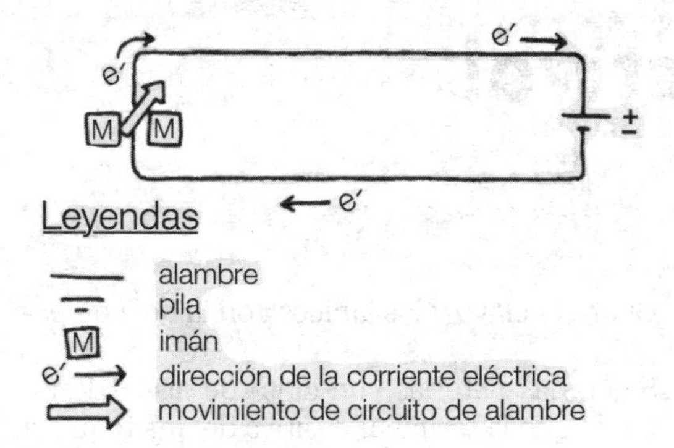

minal negativa de la batería, pasan por el alambre y llegan a la terminal positiva de la batería. Traza diagramas que muestren la dirección de la corriente. Utiliza flechas para indicar el movimiento en el alambre. Incluye una simbología para cada parte del diagrama, como se muestra.

2. ¿Qué efecto tiene la potencia de la batería sobre los resultados? Repite el experimento original utilizando dos baterías. Para conectar dos baterías, coloca la terminal positiva de una batería contra la terminal negativa de la otra batería y enrolla cinta de aislar alrededor de ambas baterías para mantener la conexión.
3. ¿Cómo afecta los resultados la distancia entre los imanes? Repite dos veces el experimento; primero, aumentando la distancia entre los imanes, y luego disminuyéndola.

¡TE TOCA TIRAR!

En el experimento original el polo norte de uno de los imanes quedaba enfrente del polo sur del otro imán. Construye un instrumento para identificar los polos de los imanes. Sigue estas instrucciones:

- Recorta una pieza de cartón en forma de "L". Ve el diagrama para las dimensiones y los rótulos.
- Con una perforadora de un solo hoyo, haz una perforación en el codo del instrumento.
- Con la parte posterior del instrumento volteada hacia ti, inserta de atrás hacia adelante la punta de un lápiz por el orificio. Coloca el lápiz parado entre los imanes en uno de los diagramas de esta página de tal modo que su signo más (+) apunte en la misma dirección que la terminal positiva de la batería. Dependiendo de la orientación de la batería, el frente o la parte posterior del instrumento estará boca arriba. La flecha del signo más (+) del instrumento apuntará en la dirección en que fluye la corriente eléctrica y la flecha de la S del instrumento apuntará hacia el polo sur del imán. La punta del lápiz apuntará en la dirección en que el alambre se mueve súbitamente (hacia arriba o hacia abajo) cuando los alambres tocan la batería. Haz un diagrama que muestre cómo funciona el instrumento.

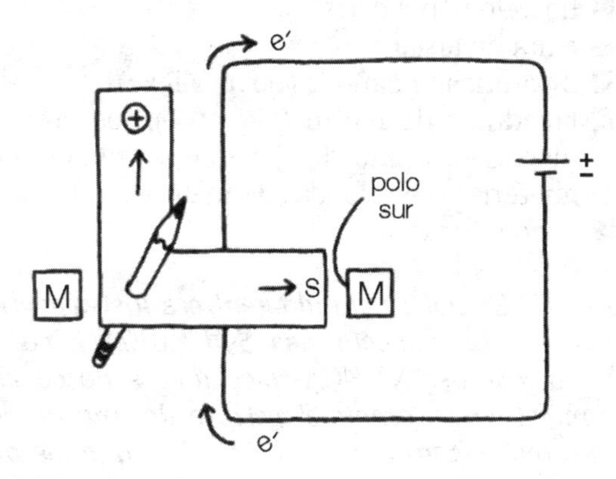

¡SIGUES TIRANDO!

Hans Christian Oersted (1777-1851), científico danés, realizó un descubrimiento de suma importancia cuando daba una conferencia en 1820. Encuentra más información acerca de Oersted y del experimento que demostró que una corriente eléctrica que se mueve por un alambre produce magnetismo. Reproduce, si quieres, el experimento de Oersted y prepara diagramas de los resultados.

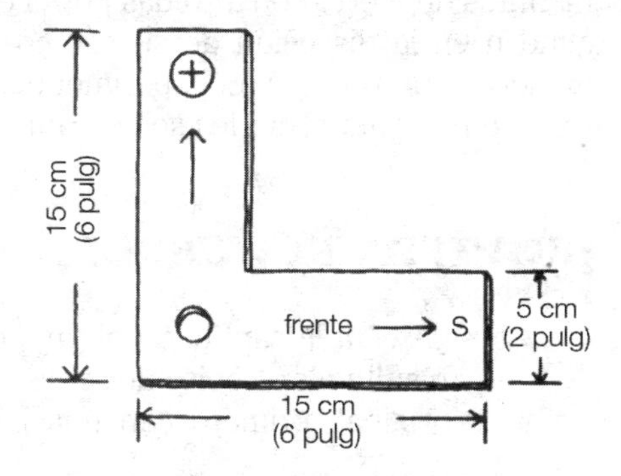

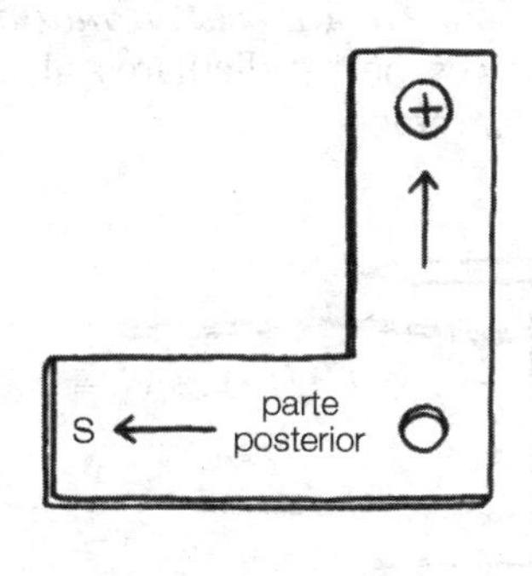

¡Es muy atractivo!

PROBLEMA

¿La electricidad puede producir un imán?

Materiales

- pinzas para alambre (sólo las usará un adulto)
- regla
- 1 m (1 yarda) de alambre calibre 18
- clavo de acero 16d
- 2 lápices
- hoja de papel carta
- cinta de aislar
- 2 baterías tamaño D (no alcalinas)
- limaduras de hierro (vienen en los pizarrones magnéticos para dibujar que se venden en jugueterías o en tiendas de material didáctico)
- ayudante adulto

PRECAUCIÓN: Cuando realices los experimentos de este proyecto, usa SOLAMENTE baterías no alcalinas; NUNCA uses tomas de corriente domésticas —existe el peligro de una descarga que puede matarte—. NO DEJES que los alambres estén en contacto con las terminales de las pilas por más de 10 segundos, ya que se calientan y pueden quemarte los dedos.

Procedimiento

1. Pide a tu ayudante adulto que use las pinzas para alambre y quite 5 cm (2 pulg) del plástico aislante de ambos extremos del alambre.
2. Enrolla firmemente la parte aislada del alambre alrededor del clavo, dejando unos 15 cm (6 pulg) de alambre libre en cada extremo.
3. Pon el clavo sobre una *mesa de madera* y coloca los lápices perpendiculares al clavo, uno en cada extremo.

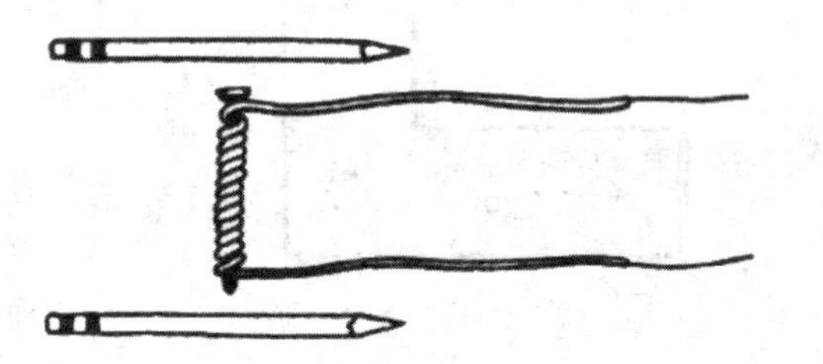

4. Cubre el clavo y los lápices con la hoja de papel.
5. Sujeta las baterías con cinta de aislar de tal modo que la terminal positiva de una toque la terminal negativa de la otra.
6. Tocando la parte aislada del alambre, sostén las puntas sin aislante en los extremos de las baterías conectadas.
7. Mientras los alambres estén tocando las terminales de las baterías, pide a tu ayudante que vierta las limaduras de hierro sobre el papel encima del clavo y golpee suavemente el papel con los dedos. Observa el patrón que se forma.

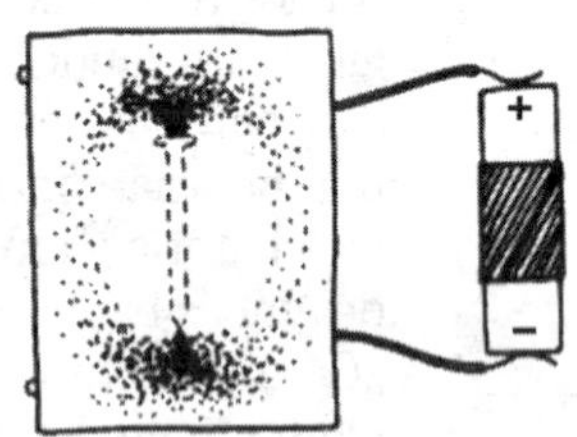

Resultados

Las limaduras de hierro forman un patrón de líneas alrededor del clavo.

¿Por qué?

Todos los alambres que llevan corriente directa están rodeados por un campo magnético estable. Cuando una corriente eléctrica fluye por una bobina de alambre, esta última actúa como un imán. A este tipo de imán se le llama **electroimán**. Al enrollar el alambre para hacer la bobina se incrementa la intensidad del campo magnético. El clavo de hierro es magnetizado por el campo magnético que está alrededor del alambre, sumándose a la intensidad del electroimán. Las limaduras de hierro son atraídas por el electroimán y se alinean en la dirección de su campo magnético, formando un patrón. (En el experimento 20, "Polos viajeros", se presenta otra idea sobre campos magnéticos.)

¡EMPIEZA EL JUEGO!

1. ¿Afecta la cantidad del flujo de corriente los resultados? Repite dos veces el experimento original, primero con una batería; después,

usando tres baterías. Cuando aumenta el número de baterías, la cantidad de corriente que pasa por el alambre se incrementa.

2. ¿El número de vueltas del alambre alrededor del clavo afecta los resultados? Repite dos veces el experimento original, primero utilizando un alambre de 45 cm (18 pulg) de largo, después usando un alambre de 2 m (6 pies) de largo. El alambre más largo requiere que las espiras queden superpuestas. Asegúrate de enrollar todo el alambre en la misma dirección. **¡Gana puntos en la feria de ciencias!**: Haz una impresión del patrón formado por las limaduras de hierro. Para esto, rocía vinagre blanco sobre las limaduras de hierro que están sobre el papel. No muevas el papel durante varias horas para dejar que el hierro se oxide. Levanta la hoja de papel y tira las limaduras oxidadas en la basura. Las marcas del óxido dejan sobre el papel el patrón del campo magnético, el cual puedes exhibir como parte de tu proyecto.
3. ¿Afecta los resultados el tamaño del núcleo donde se enrolla el alambre? Repite dos veces el experimento original, primero usando un clavo delgado y, después, un clavo más grueso.

¡TE TOCA TIRAR!

1a. ¿Cuál es la intensidad de un campo magnético? Construye el electroimán original utilizando una batería. Coloca una regla parada en plastilina cerca de un platito con balines. Coloca los alambres sin aislante en los extremos de la batería y cubre cada extremo con cuatro capas de cinta de aislar. Ejerce presión sobre la cinta para que los alambres permanezcan en su sitio. Baja lentamente el clavo hasta que los balines se eleven y se adhieran a la punta del clavo. Determina el número de balines que pueden levantarse desde diferentes alturas.

b. Compara la intensidad de diferentes electroimanes. Repite dos veces el experimento anterior, primero con un alambre de 50 cm (1/2 yarda) de longitud; después, usando un alambre de 2 m (2 yardas) de largo. Como en el experimento anterior, encima con cuidado el alambre sobrante enrollándolo en la misma dirección. Emplea una tabla de datos similar a la que se muestra para registrar la longitud del alambre, el número de vueltas que se enrolla el alambre alrededor del clavo, la distancia de la punta del clavo a los balines y el número de balines levantados.

¡SIGUES TIRANDO!

A una bobina con forma espiral por la que fluye electricidad se le llama *solenoide*. La corriente directa, o CD, que fluye por un solenoide produce un electroimán. Busca más información acerca de los electroimanes. ¿Se produciría un electroimán si fluyera corriente alterna, o CA, por el solenoide? ¿Cuáles son algunos usos de los electroimanes?

INTENSIDAD DE ELECTROIMANES

Longitud del alambre	Número de vueltas del alambre	Distancia de los balines	Número de balines levantados
0.5 m (1/2 yarda)			
1 m (1 yarda)			
2 m (2 yardas)			

¡Cómo se dilata!

PROBLEMA

¿Cómo afecta el calor el movimiento de las moléculas de una liga?

Materiales

- lápiz
- vaso de papel de 150 ml (5 onzas)
- tijeras
- regla
- cordel
- liga de unos 7.5 cm (3 pulg) de largo
- sal
- cinta adhesiva (*masking tape*)
- secadora de cabello (sólo la usará un adulto)
- ayudante adulto

Procedimiento

1. Usa el lápiz para perforar dos agujeros opuestos abajo de la orilla superior del vaso de papel.
2. Corta un tramo de cordel de 20 cm (8 pulg).
3. Ata los extremos del trozo de cordel en los agujeros del vaso para formar un asa.
4. Corta la liga para hacer una tira de 15 cm (6 pulg) de largo.
5. Ata uno de los extremos de la liga en el asa del vaso.
6. Corta un tramo de cordel de 45 cm (18 pulg) de largo y átalo al extremo libre de la liga.
7. Llena la mitad del vaso con sal.
8. Coloca el vaso en el piso abajo del borde de una mesa.
9. Sosteniendo el extremo libre del cordel sobre el borde de la mesa, jálalo lentamente hacia el centro de ésta. Cuando el vaso apenas toque el piso, pega con cinta el cordel en la superficie de la mesa.
10. Pide a un adulto que sostenga la secadora de cabello, ajustada en aire caliente, a unos 5 cm (2 pulg) de la liga y la mueva hacia arriba y hacia abajo.
11. Observa la posición del vaso cuando la liga se calienta por unos 10 segundos.
12. Aparta la secadora y observa el vaso durante 20 segundos.

Resultados

El vaso se levanta un poco del piso cuando la liga se calienta y regresa a su posición original cuando la liga se enfría.

¿Por qué?

El calentamiento de la liga hace que las moléculas de caucho vibren. Las moléculas en movimiento se separan ligeramente y se deslizan unas entre otras, oca-

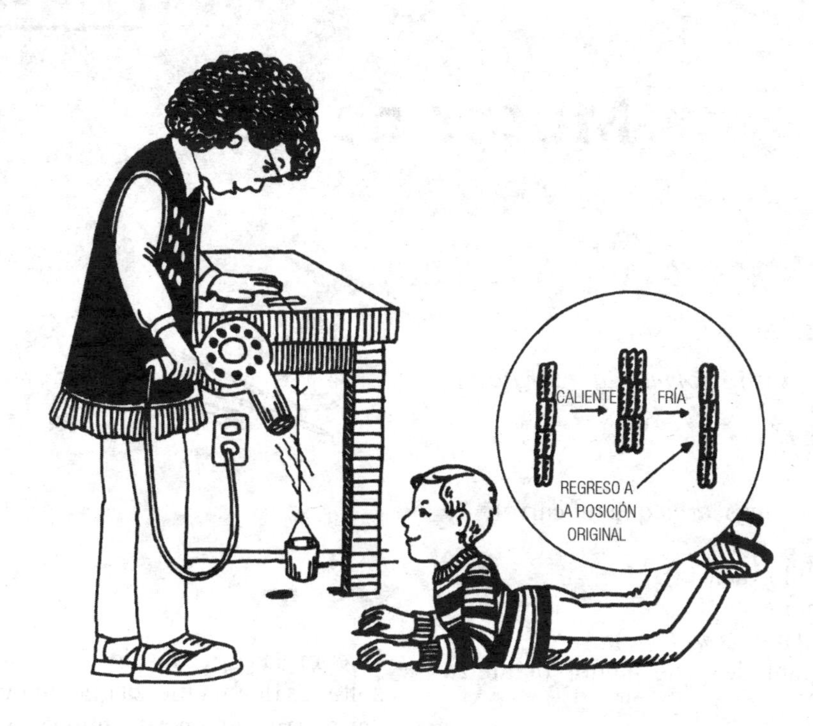

sionando que la tira se contraiga, se haga más gruesa y se acorte.

¡EMPIEZA EL JUEGO!

1. ¿El tamaño de la liga cambia el movimiento del vaso? Repite el experimento utilizando ligas de diferentes gruesos. Coloca una cinta métrica junto al vaso suspendido para medir cualquier diferencia en el movimiento del vaso. **¡Gana puntos en la feria de ciencias!**: Elabora diagramas para mostrar los resultados y exhíbelos junto con las ligas.

2. ¿Afecta el peso del vaso el movimiento de la liga calentada? Repite el experimento original utilizando diferentes cantidades medidas de sal. Registra la cantidad de sal y la distancia que se movió el vaso cada vez que se calentó la liga.

¡TE TOCA TIRAR!

¿Todos los materiales se **contraen** cuando se calientan? Reemplaza la liga con un alambre metálico calibre 22 de una longitud comparable. (Pide a un adulto que quite el aislante del alambre.) Prueba con otros materiales sólidos. Los resultados de este experimento indicarán que la contracción de la liga cuando fue calentada es contraria a la reacción de la mayoría de los materiales calentados. El calor, por lo general, ocasiona que las moléculas se separen y, por tanto, que los objetos se expandan. Incluye estos datos en tu informe y muestra fotografías de cada experimento como parte del módulo de exhibición de tu proyecto.

¡SIGUES TIRANDO!

1. ¿Por qué los puentes, los caminos y las aceras se hacen en secciones separadas por juntas?
2. ¿Por qué si se introduce la tapa de un frasco en agua caliente se puede abrir con mayor facilidad?

Motor de liga

PROBLEMA

¿Cómo puede una liga transformar la energía?

Materiales

- una liga (un poco más larga que un carrete de hilo)
- un carrete de hilo vacío
- 2 palillos redondos
- cinta adhesiva (*masking tape*)
- una arandela metálica (de menor diámetro que el carrete)

Procedimiento

1. Inserta la liga en el agujero del carrete.
2. Haz pasar uno de los palillos por el lazo de la liga en uno de los extremos del carrete.
3. Centra el palillo en el lazo y fíjalo al carrete con cinta a ambos lados de la liga. No pongas cinta sobre la liga. Rompe ambos extremos del palillo para que no sobresalgan del borde del carrete.
4. En el otro extremo del carrete, ensarta la liga en el agujero de la arandela.
5. Pasa el segundo palillo por el lazo de la liga. No pegues este palillo al carrete.
6. Sujeta con fuerza el carrete con una mano y, con el dedo índice de la otra mano, dale vueltas al palillo suelto una y otra vez en el sentido de las manecillas del reloj para retorcer la liga.
7. Coloca el carrete en el suelo o en una superficie plana y suéltalo.
8. Observa el movimiento del carrete, la liga y los palillos.

Resultados

A medida que la liga se desenrolla, el carrete da vueltas, haciendo girar al palillo fijo. El palillo cerca de la arandela no da vueltas y es arrastrado por el piso conforme el carrete gira en un movimiento hacia adelante.

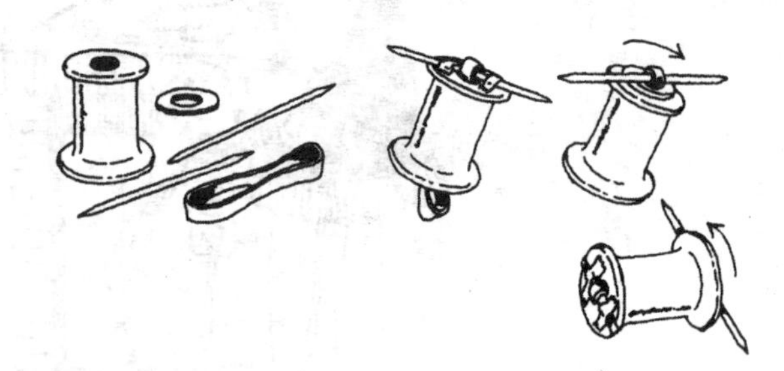

¿Por qué?

La energía es la capacidad de realizar **trabajo** (los resultados de una fuerza que mueve un objeto de un lugar a otro). La energía nunca se pierde; simplemente se **transforma** (cambia de una forma a otra). La **energía mecánica** es la energía de los objetos en movimiento. Hay dos formas básicas de energía mecánica: la **energía cinética** (energía de movimiento) y la **energía potencial** (energía almacenada). La liga no tiene energía antes de darle vueltas; toma energía almacenada en los músculos de tu cuerpo al enrollarla. Mientras sujetas el palillo para que la liga no se desenrolle, la energía se almacena (energía potencial). Cuando sueltas el palillo, la liga se desenrolla; así, la energía almacenada en la liga enrollada se transforma en energía cinética. Las máquinas, en este caso el carrete (una rueda), no tienen energía y solamente pueden efectuar un trabajo (mover un objeto de un lugar a otro) si se les suministra energía.

¡EMPIEZA EL JUEGO!

1. ¿El número de vueltas en la liga afecta los resultados? Vuelve a hacer el experimento como antes, contando ahora el número de vueltas que le das a la liga. Repite dos veces más el experimento; primero, dándole más vueltas a la liga, y posteriormente dándole menos vueltas.
2. ¿La longitud de la liga afecta la velocidad del carrete en movimiento? Repite el experimento original usando ligas de diferentes tamaños. Anota las longitudes de las ligas y los resultados. **¡Gana puntos en la feria de ciencias!**: Muestra los modelos hechos con las ligas de diferentes tamaños.

3. ¿Usar palitos más chicos o más grandes que los palillos cambiaría los resultados? Repite el experimento original, primero utilizando materiales de diferentes tamaños, tales como palitos para revolver largos y cortos. Después, haz los dos palitos de diferentes longitudes.

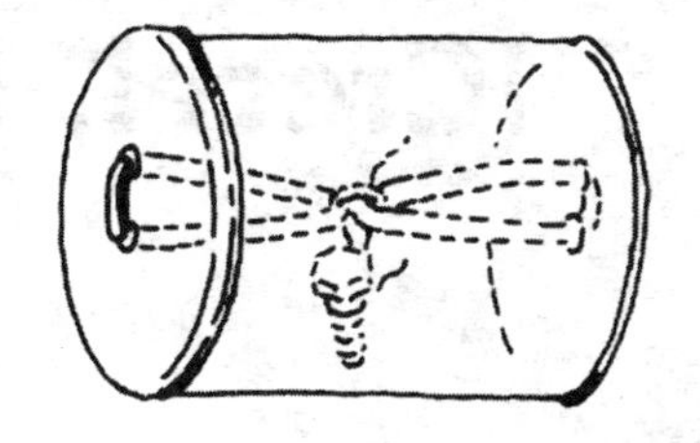

¡TE TOCA TIRAR!

1. A medida que una liga se desenrolla, su energía potencial cambia a energía mecánica. Demuestra este cambio construyendo y echando a volar un modelo de avión propulsado por una liga. Este modelo puede servir para la feria de ciencias junto con fotografías tomadas durante su vuelo.
2. Una lata que rueda hacia adelante, se detiene y misteriosamente rueda hacia atrás es un buen ejemplo para demostrar la energía producida por una liga que se desenrolla. Para construir esta lata, perfora dos orificios separados 1.5 cm (1/2 pulg) entre sí en el centro de la base de una lata y otros dos orificios con las mismas características en la tapa de plástico. Introduce una liga por los agujeros de la base de la lata y otra por los orificios de la tapa. Ata con una cuerda las dos ligas por sus extremos; en el mismo sitio ata un tornillo pesado. Asegura la tapa y rueda la lata hacia adelante. El peso del tornillo mantiene las ligas en su lugar y las enrolla a medida que rueda la lata. Cuando las ligas se desenrollan, la lata rueda en la dirección contraria.

¡SIGUES TIRANDO!

Se realiza trabajo cuando se aplica una fuerza para mover un objeto de un lugar a otro. La *potencia* equivale a qué tanto trabajo se puede hacer en determinado tiempo. La unidad para medir la potencia se denomina *caballo de fuerza*. James Watt (1736-1819), ingeniero e inventor escocés, acuñó el término caballo de fuerza. Investiga a cuánta potencia equivale un caballo de fuerza y por qué James Watt utilizó el término.

¡Crece!, como astronauta

PROBLEMA

¿Cómo afecta la gravedad la altura de una persona?

Materiales

- tijeras
- botella de soda de 2 litros con tapón
- 5 carretes de plástico vacíos
- regla
- cordel
- tazón del tamaño suficiente para contener la botella de soda
- agua de la llave
- ayudante
- ayudante adulto

Procedimiento

1. Pide a tu ayudante adulto que recorte el fondo de la botella.

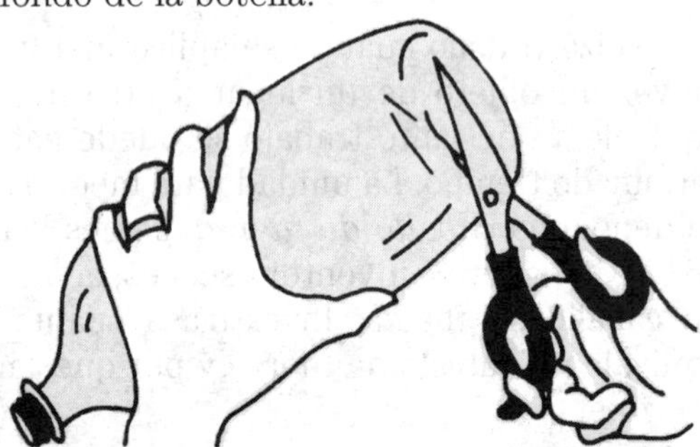

2. Quita el papel que cubre los extremos de los carretes de hilo.
3. Corta un tramo de cordel de 45 cm (18 pulg).
4. Coloca el cordel en la botella de tal modo que unos 5 cm (2 pulg) de cordel cuelguen fuera de la boca de la botella.
5. Cierra la botella con el tapón, dejando colgar parte del cordel.
6. Voltea la botella de cabeza; después, ensarta en el cordel los carretes, de tal modo que se deslicen hacia abajo y queden extremo contra extremo en el interior de la botella de soda.
7. Coloca la botella invertida en el tazón.
8. Sujeta la botella en posición vertical con una mano y sostén el cordel con la otra, para que los carretes queden derechos.
9. Registra hasta dónde llega la cara superior del carrete de hasta arriba con relación al borde de la botella. Observa la posición de cada carrete.

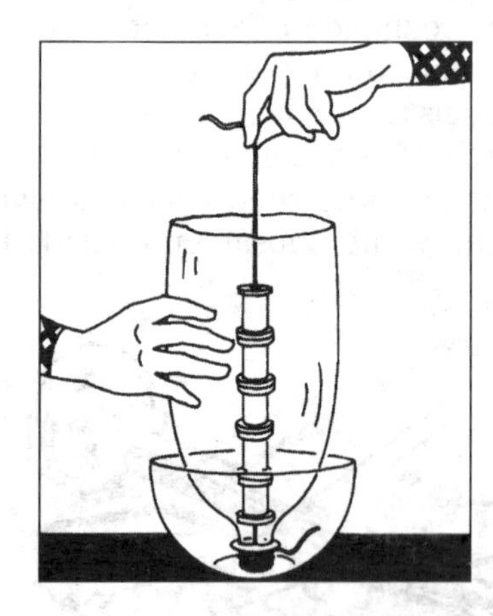

10. Pide a uno de tus ayudantes que llene la botella de plástico con agua, mientras continúas sosteniendo el cordel.

11. De nuevo, compara el carrete superior con el borde de la botella. Observa la posición de cada carrete.

Resultados

Sin el agua, los carretes están muy juntos uno sobre el otro. Cuando la botella se llena con agua, los carretes flotan y hay una separación entre ellos. El extremo del carrete superior está más abajo en la botella vacía que en la botella llena de agua.

¿Por qué?

Sin el agua, la gravedad atrae hacia abajo los carretes, juntándolos uno sobre el extremo del otro. El agua ejerce una fuerza hacia arriba sobre los carretes. Esta fuerza de ascensión que ejerce un fluido sobre un objeto que esté en su interior se llama **flotación**. En consecuencia, el agua simula un ambiente de baja gravedad que reduce su empuje hacia abajo. Con menos empuje hacia abajo, los carretes se mueven con mayor libertad. No se separan uno del otro por el cordel que los conecta.

La columna vertebral de los seres humanos se parece a la pila de carretes en que los discos que constituyen la columna vertebral tienen la libertad de separarse, como los carretes. Al igual que los carretes, la columna vertebral tiene un "cordel", sólo que éste es un cordón nervioso llamado **médula espinal**, que corre por el centro de los discos. La gravedad jala los discos hacia abajo uno contra el otro. En el espacio exterior, los discos se separan, y la columna vertebral se alarga debido a que la gravedad deja de jalarla hacia abajo: los astronautas son más altos en el espacio que en la Tierra.

¡EMPIEZA EL JUEGO!

¿Qué ocurriría si los carretes estuvieran unidos? Corta una tira de tela de unos 5 cm (2 pulg) de ancho y 2.5 cm (1 pulg) más larga que la altura de los carretes apilados. Pega los extremos de la tela a los carretes de arriba y abajo con cinta de aislar. Repite el experimento. La tira de tela representa los **ligamentos** (bandas duras de tejido que conectan los extremos de los huesos); los ligamentos limitan la separación de los discos en la columna vertebral. **¡Gana puntos en la feria de ciencias!**: Exhibe los carretes con la tira de tela pegada junto con diagramas y una copia impresa de los resultados.

¡TE TOCA TIRAR!

1. ¿Cómo afecta la gravedad al pulso? Una forma de simular un incremento de la gravedad es agregando peso al cuerpo. Compara la diferencia de tu pulso antes y después de una caminata de 2 minutos. Carga una mochila pesada y repite el experimento. ¿Cuál de las caminatas ocasionó un incremento mayor del pulso? Solicita voluntarios para repetir el experimento y lleva registros de su pulso antes y después de cada caminata. Esta información la puedes graficar y presentarla como parte del módulo de exhibición de tu proyecto.
2. ¿Tu corazón bombea con tanta fuerza como el de una jirafa? Haz una bomba cardiaca como se muestra en el diagrama. Une varios popotes con cinta de aislar para igualar la distancia que hay de la punta de tu cabeza a la posición en que se encuentra tu corazón en el pecho. Aprieta la bomba con tus manos hasta que el líquido de la botella salga por el último popote. Haz otra bomba, construyendo un popote de 2 m (6 pies) para representar un vaso sanguíneo que llegaría del corazón de una jirafa a su cabeza, y aprieta la botella como antes. Compara la cantidad de esfuerzo necesaria para bombear el líquido hasta arriba de ambos "vasos sanguíneos" de popote. Toma fotografías para utilizarlas, junto con las "bombas" y los "vasos" de popote, como parte del módulo de exhibición de tu proyecto. Elabora un resumen de los resultados.

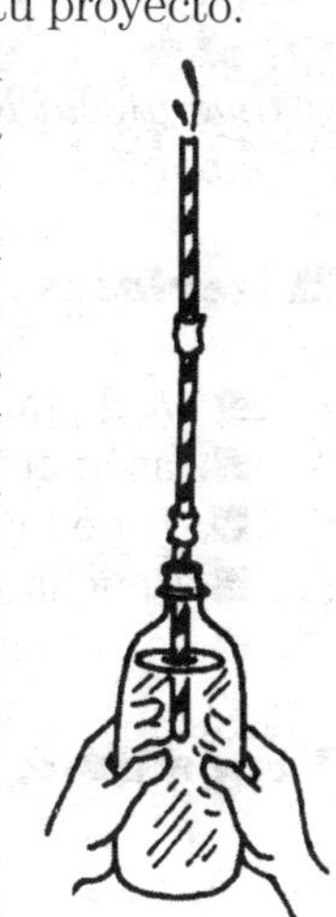

¡SIGUES TIRANDO!

Los astronautas descubrieron que un ambiente "sin peso" ocasionaba muchos cambios en sus cuerpos. Algunos de estos cambios tomaban días, y otros eran evidentes en minutos. Averigua por qué ocurren los cambios siguientes cuando hay una atracción reducida de la gravedad sobre los cuerpos de los astronautas:

- Pérdida de calcio en los huesos.
- Los riñones trabajan más.
- Hay exceso de fluido en el rostro y el pecho.
- Los músculos se contraen.
- El corazón se contrae.

Para mayor información, consulta el artículo sobre flotar en el espacio titulado: "Hang Time for Humans" en la revista *Super Science*, Blue Edition, Scholastic Inc.

Pompas de diferentes formas

PROBLEMA

¿Cómo afecta la gravedad la forma de las pompas de jabón?

Materiales

- 1/4 de taza (65 ml) de líquido lavatrastes
- tazón chico
- 1/4 de taza (65 ml) de agua de la llave
- 1 cucharadita (5 ml) de azúcar
- carrete grande, sin hilo

Procedimiento

NOTA: Éste es un experimento para realizarse en exteriores.

1. Vierte el líquido lavatrastes en el tazón.
2. Agrega el agua al tazón.
3. Revuelve el azúcar en la mezcla jabonosa para dar resistencia a las pompas.
4. Moja uno de los extremos del carrete de hilo en la mezcla.
5. Coloca tu boca en el lado seco del carrete y sopla suavemente por el orificio.

6. Una vez que hagas una pompa grande, coloca tu dedo sobre el agujero por donde soplaste para evitar que se escape el aire.
7. Estudia la forma de la pompa hasta que se rompa.
8. Registra cualquier movimiento de la superficie de la pompa que hayas observado.

Resultados

Cuelga del carrete una pompa que sea ligeramente puntiaguda en el fondo. Verás que pequeños hilillos de líquido se arremolinan rápidamente en los lados de la pompa y se unen en el fondo, donde forman gotas y caen.

¿Por qué?

Las moléculas del líquido lavatrastes y el agua se enlazan para formar una delgada película de líquido restirado alrededor del aire que se sopla en su interior. La gravedad atrae hacia abajo la pompa redonda, formando una ligera punta en el fondo. El exceso de líquido en el borde del carrete es atraído hacia abajo hasta el punto más bajo de la pompa, donde se acumula en gotas y cae. Las moléculas que forman la fina película de la pompa también son jaladas hacia abajo, ocasionando que la pompa se haga cada vez más delgada en la parte superior, hasta que finalmente se rompe.

¡EMPIEZA EL JUEGO!

1. ¿El tamaño de la pompa afecta su forma? Haz una pompa grande y deja abierto el agu-

jero de la parte superior del carrete para dejar que escape el aire. Observa y registra cualquier cambio en la forma de la pompa conforme disminuye su tamaño.

2. G es el símbolo usado para medir la fuerza de la gravedad. La gravedad terrestre se usa como patrón y se le asigna el valor de 1 G. Al mover rápidamente el carrete hacia arriba, se incrementa la fuerza G ejercida sobre la pompa. Determina la forma de una pompa en un sitio donde la fuerza G es mayor que en la Tierra haciendo una pompa y observando su forma cuando mueves el carrete rápidamente hacia arriba. Repite el procedimiento usando diferentes velocidades de desplazamiento. **¡Gana puntos en la feria de ciencias!** Registra los resultados y traza dibujos de las formas de las pompas. Inclúyelos como parte del módulo de exhibición de tu proyecto.
3. ¿Afecta la forma de la abertura del carrete la forma de la pompa? ¿Con una abertura cuadrada o triangular se pueden hacer pompas de lados planos y cambiar por esto el efecto que la gravedad tiene sobre la pompa? Haz aberturas de diferentes formas con alambre; después úsalas para hacer pompas.

¡TE TOCA TIRAR!

1. Toma fotografías de las pompas que se obtienen con las aberturas de diferentes formas y exhíbelas junto con los resultados de la forma producida.
2. ¿Qué forma tendría una pompa de jabón en el espacio exterior? En el espacio, la atracción de la gravedad es tan débil que los científicos la llaman **microgravedad**. Prácticamente, cualquier objeto carece de peso en el espacio. Averigua la forma de las gotas de líquidos soltadas en una nave espacial y elabora dibujos de la forma de las pompas dentro y fuera de un campo gravitacional intenso. Utiliza estos dibujos como parte del módulo de exhibición de tu proyecto.

¡SIGUES TIRANDO!

Algunos objetos fabricados en la Tierra tienen imperfecciones causadas por la atracción de la gravedad. ¿Cómo afecta negativamente la gravedad la fabricación de objetos esféricos, como canicas o cojinetes de bolas? Realiza un estudio de los objetos cuya fabricación con una forma perfectamente redonda se dificulta debido a la gravedad. ¿Sería más fácil fabricar estos objetos en una nave espacial?

La ruedita ya tiene dientes

PROBLEMA

¿Cómo afectan recíprocamente los engranes su velocidad y dirección del movimiento?

Materiales

- plastilina
- 12 palillos redondos
- 2 lápices

Procedimiento

1. Aplana ligeramente 2 bolas de plastilina del tamaño de una nuez para formar dos ruedas.
2. Clava 6 palillos en el canto de cada rueda de plastilina. Asegúrate de que los palillos estén distribuidos a la misma distancia alrededor de las piezas de plastilina.
3. Haz el engrane A metiendo un lápiz por el centro de una de las ruedas de plastilina. Mueve el lápiz varias veces en el agujero para que la rueda de plastilina gire con facilidad alrededor del lápiz.
4. Haz el engrane B insertando el otro lápiz en el centro de la segunda rueda de plastilina. Aprieta la plastilina alrededor del lápiz para que la pieza de plastilina y el lápiz giren juntos.
5. Coloca el engrane A sobre una mesa de tal modo que la rueda de plastilina quede horizontal. Sostén el lápiz derecho para que el engrane no se mueva de su sitio.
6. Coloca el engrane B junto al engrane A de tal modo que sus palillos queden entre los del engrane A y perpendiculares a ellos. Sostén el lápiz horizontalmente.
7. Haz girar el lápiz del engrane B dándole vueltas en dirección contraria a ti.
8. Observa la dirección del movimiento del engrane A.

Resultados

Cuando el engrane B gira verticalmente, sus palillos se mueven en dirección contraria a donde estás tú. Empujan los palillos del engrane A, haciendo que este engrane gire horizontalmente. Los palillos del engrane A se mueven hacia ti. La dirección del movimiento del engrane A es contraria a la del engrane B.

¿Por qué?

Un **engrane** es una rueda con dientes alrededor de su borde exterior. Cuando los dientes de los dos engranes están embonados y uno de ellos gira, éste hace que el otro engrane también gire. En este experimento, los palillos en las ruedas de plastilina actúan como los dientes de un engrane. Cuando los engranes tienen el mismo tamaño y el mismo número de dientes, como en este experimento, ambos giran a la misma velocidad, pero en direcciones diferentes.

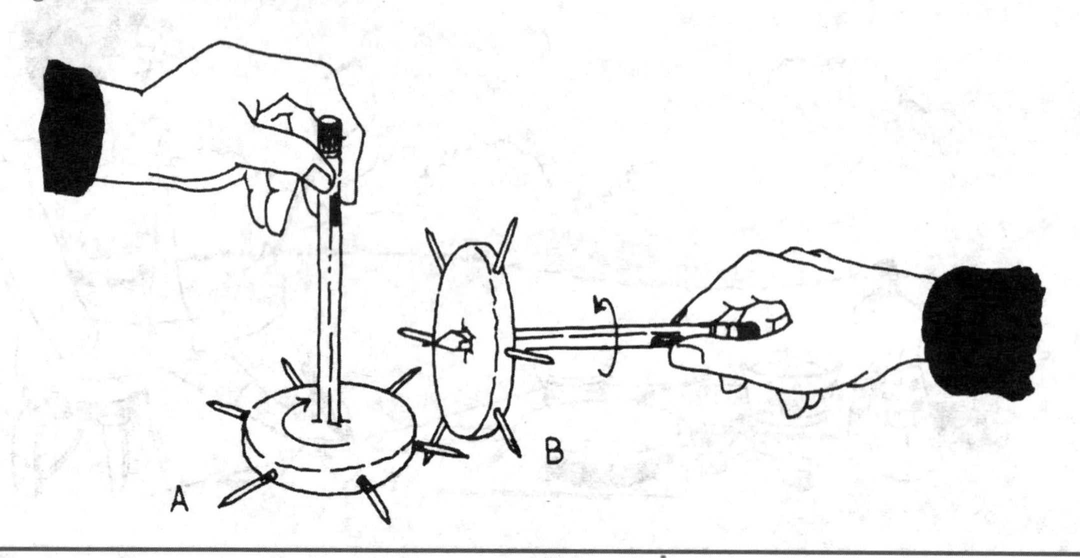

¡EMPIEZA EL JUEGO!

1. ¿Afectaría el número de palillos los resultados? Repite dos veces el experimento, primero con 4 palillos puestos en cada rueda de plastilina, después poniendo 8 palillos en cada rueda. Trata de hacer girar con la misma velocidad el engrane B en ambos experimentos.
2. ¿Un número diferente de dientes en cada engrane afectaría los resultados? Repite el experimento original con 8 palillos en la primera rueda y 4 palillos en la segunda rueda. Para que los dientes embonen, rompe a la mitad los 4 palillos usados en la segunda rueda, de manera que la distancia entre los engranes de ambas ruedas sea casi la misma. Pinta uno de los palillos en cada rueda para contar más fácilmente las vueltas que da cada engrane.

¡TE TOCA TIRAR!

1. Construye un modelo de engranes con diferentes números de dientes para hacer una demostración de la manera en que los engranes cambian la velocidad de las partes que se están moviendo. Traza las ruedas dentadas del diagrama sobre una hoja de papel. Pega la hoja en un trozo de cartón y recorta los engranes con unas tijeras. Coloca los engranes en un segundo trozo de cartón, empalmando los dientes de los engranes. Inserta un clavo pequeño en el centro de cada engrane para fijar los engranes en el cartón, de tal modo que puedan girar con facilidad. Determina la dirección en que gira cada engrane y el número de vueltas que da el engrane pequeño con cada vuelta del engrane grande.
2. Usa un batidor de huevos para demostrar la manera en que los engranes determinan la velocidad y la dirección del movimiento. Marca con cinta adhesiva una de las aspas y la rueda para que puedas contar fácilmente las vueltas de cada engrane.

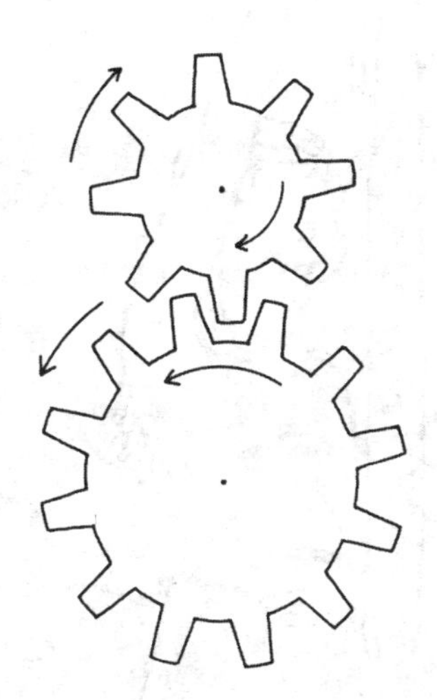

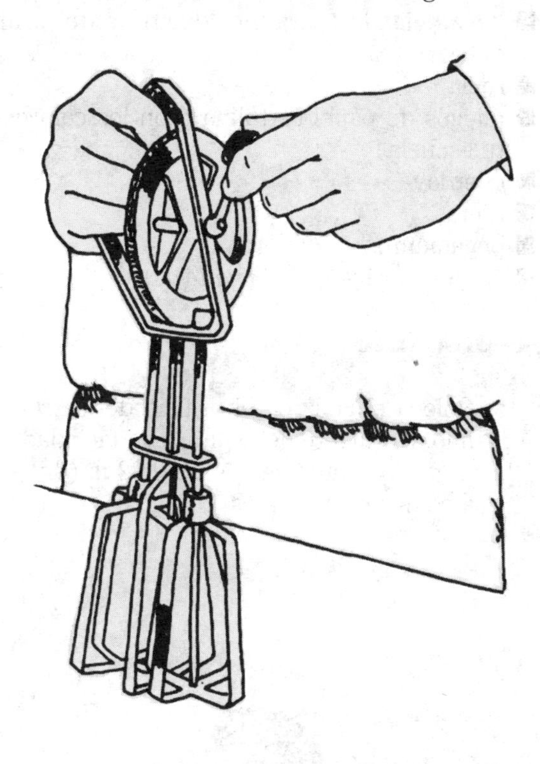

¡SIGUES TIRANDO!

Hay cuatro tipos importantes de engranes: rectos o cilíndricos, de cremallera y piñón, de corona y sinfín, y cónicos o angulares. Investiga cómo regula la velocidad y la dirección del movimiento cada uno de estos engranes.

¡Arriba mi escuela!

PROBLEMA

¿Cómo facilita el trabajo una polea fija?

Materiales

- carrete de hilo vacío
- lápiz delgado (para introducirlo en el orificio del carrete)
- regla
- pliegos de papel cartulina (con los colores de tu escuela)
- cuerda
- tijeras
- pegamento
- cinta adhesiva (*masking tape*)

Procedimiento

1. Coloca el lápiz en el orificio del carrete de hilo. El carrete debe girar con facilidad.
2. Corta un tramo de cuerda de 2 m (6 pies) y ata sus dos extremos.
3. Con las cartulinas, forma el banderín del equipo de tu escuela.
   - Para que luzca mejor el banderín, dibuja también la mascota.
4. Una vez que tengas listo el banderín, pégalo en la cuerda.
5. Coloca la cuerda sobre el carrete, de modo que el banderín cuelgue en el extremo inferior.
6. Pide a tu ayudante que tome el lápiz por los extremos y lo sostenga con los brazos extendidos por encima de su cabeza.
7. Jala hacia abajo el tramo de la cuerda opuesto al tramo donde está el banderín.
8. Observa la distancia que has jalado hacia abajo la cuerda y la dirección en que se mueve el banderín.

Resultados

La longitud de la cuerda que pasa por el carrete es igual a la distancia que sube el banderín.

¿Por qué?

Una **polea** es una máquina simple que consta de una rueda ranurada y una cuerda. La **polea fija** permanece en su sitio, donde da vueltas a medida que la cuerda se jala y se desplaza sobre la rueda; conforme se mueve la cuerda, se levanta una carga. El carrete es una polea fija; cuando jalas hacia abajo un tramo de la cuerda, el otro se eleva. Por eso el asta bandera de tu escuela tiene dos poleas, para que sea fácil izar la bandera; de otro modo habría que subirla con una escalera. Una polea fija facilita el trabajo porque cambia la dirección del esfuerzo aplicado.

¡EMPIEZA EL JUEGO!

¿El tamaño del carrete tiene que ver con los resultados? Repite el experimento dos veces, primero con un carrete pequeño y después con uno más grande. Si el carrete más pequeño no gira con facilidad por el grosor del lápiz, usa una varilla de menor diámetro.

¡TE TOCA TIRAR!

1. Construye un tendedero móvil usando dos carretes de hilo, 2 clips grandes y cordel. Puedes hacerlo directamente en el bastidor del proyecto. Desdobla los clips y dales la forma de un cuadrado, después endereza el lado más corto de tal modo que el clip, tenga tres lados en ángulo recto. Inserta el carrete en el alambre más largo del clip, después dobla el alambre para volver a darle forma cuadrada. Coloca los carretes uno enfrente del otro en el bastidor y pega con cinta adhesiva los clips en el mismo, de tal modo que los carretes queden verticales. Coloca un cordel atado por las puntas entre los carretes. Usa seguros o pinzas para ropa de tamaño pequeño y cuelga ropa de muñecas en el tendedero. Jala el cordel para demostrar el uso de las poleas fijas para mover la ropa de un lado al otro del bastidor.
2. Una polea que levanta ladrillos hasta la parte superior de un edificio es una polea fija. Averigua más acerca de las poleas fijas y exhibe ilustraciones de sus usos.

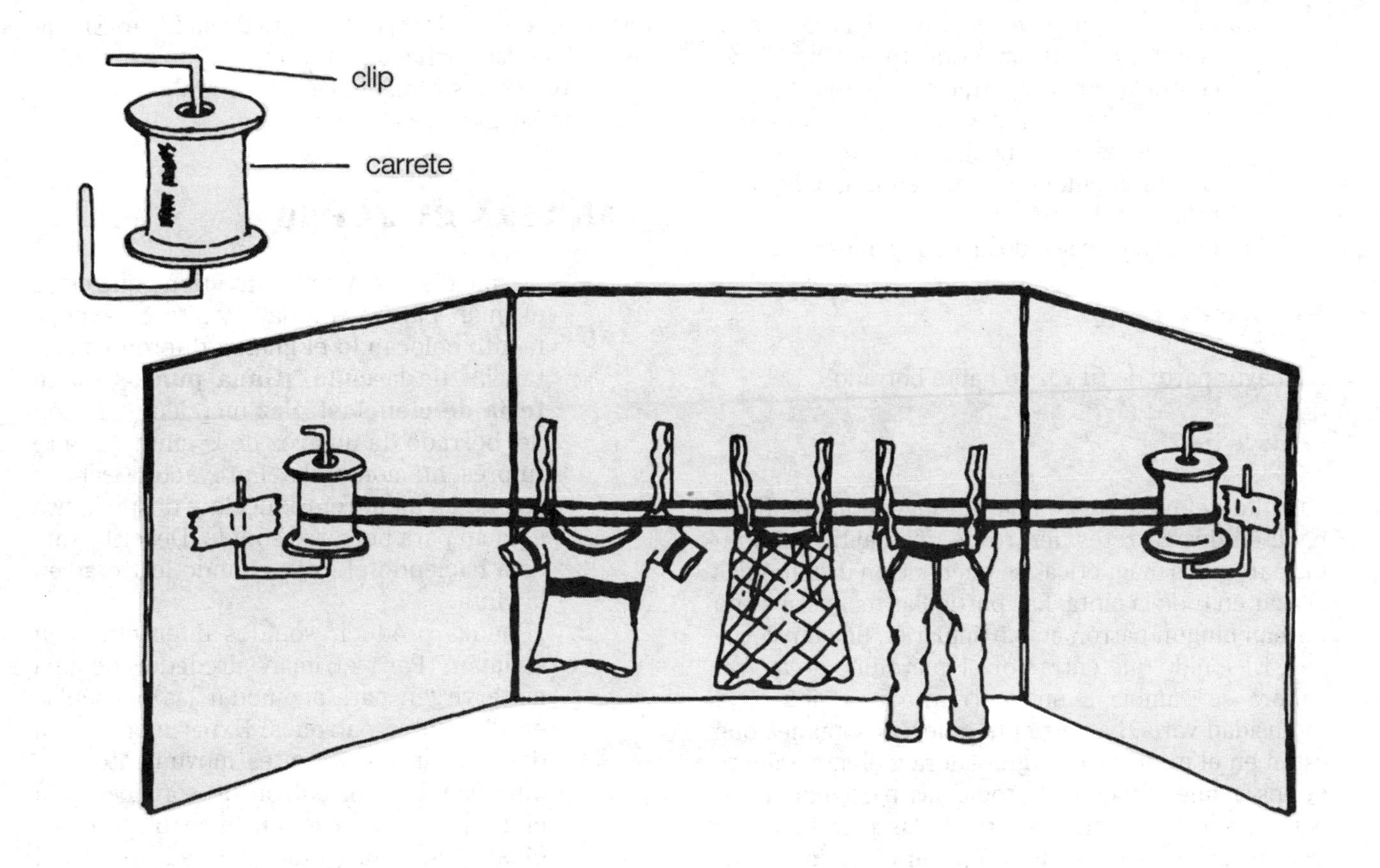

Borrador magnético

PROBLEMA

¿Cómo afectan los imanes las audiocintas grabadas?

Materiales

- audiocassette virgen
- grabadora
- imán potente
- lápiz
- ayudante

Procedimiento

1. Coloca el cassette en la grabadora.
2. Graba tu voz en la cinta.
3. Rebobina la cinta en la grabadora y escucha tu voz.
4. Saca el cassette de la grabadora.
5. Pide a tu ayudante que use el lápiz para rebobinar el cassette mientras tú frotas el imán contra la cinta conforme pasa por la abertura del cassette. Continúa hasta que la cinta esté completamente rebobinada.
6. Coloca la cinta de nuevo en la grabadora y reprodúcela otra vez.
7. Escucha los sonidos reproducidos.

Resultados

La mayor parte de tu voz se habrá borrado.

¿Por qué?

La cinta del cassette es una tira magnética embobinada en dos carretes dentro de una cajita. Diminutas partículas magnéticas se encuentran distribuidas al azar en toda la cinta. Las partículas magnéticas no forman ningún patrón en particular en una cinta virgen. El sonido que entra por el micrófono de la grabadora se cambia a una corriente eléctrica cuya intensidad varía. La corriente mueve los imanes que están en el interior de la grabadora y el movimiento de los imanes reacomoda todas las partículas magnéticas sobre la cinta. Determinadas posiciones de las partículas magnéticas producen el sonido de tu voz. Si se frota la cinta con un imán, el material mag-

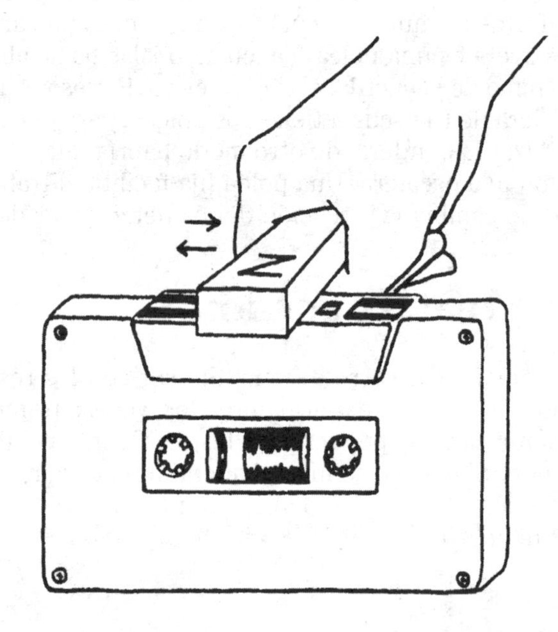

nético es empujado y jalado fuera de su lugar. El reacomodo de las partículas magnéticas borra el sonido de tu voz. Por esta razón, las cintas grabadas deben mantenerse alejadas de los imanes.

¡EMPIEZA EL JUEGO!

1. ¿A qué distancia de la cinta tiene que estar el imán para afectarla? Repite el experimento colocando el imán a diferentes distancias de la cinta. **¡Gana puntos en la feria de ciencias!**: Haz una demostración del borrado de una voz de la cinta durante tu presentación oral del proyecto. Graba la voz de alguien, reprodúcela y después usa el imán para borrar el sonido. Describe qué está haciendo el imán cuando lo frotas en la cinta.
2. ¿Puedes producir sonidos diferentes con el imán? Pasa el imán alrededor de una cinta virgen para acomodar las partículas en diferentes patrones. Experimenta para determinar si diferentes movimientos del imán cambian el patrón de sonidos en la cinta. **¡Gana puntos en la feria de ciencias!**: Toma fotografías de cada paso del experimento y exhíbelas con breves des-

cripciones de lo que está ocurriendo y de los resultados.

¡TE TOCA TIRAR!

Si una cinta se pone cerca de un imán, ¿resulta afectada la parte no expuesta que está en los carretes? Graba tu voz en una cinta virgen. Coloca un imán potente y la cinta en una caja. A fin de dar tiempo suficiente para que ocurra cualquier cambio, deja los materiales en la caja una noche completa. Al día siguiente, escucha la grabación y determina el efecto del imán sobre la cinta no expuesta.

¡SIGUES TIRANDO!

Valdemar Poulsen (1869-1942), ingeniero danés, fue la primera persona en usar alambre magnetizado para hacer grabaciones de sonidos. Ya ha pasado tiempo desde la época de Poulsen, y en la actualidad el alambre ha sido reemplazado por cinta magnética. Lee acerca de la historia de las grabaciones en cinta magnética. Preguntas en las cuales pensar: ¿Cómo funcionan las grabaciones en alambre de Poulsen? ¿Qué materiales se usan en la actualidad para fabricar cintas para grabaciones? ¿Qué es una cinta estereofónica? ¿Cómo se graban los sonidos en la cinta?

Quien lo desmagnetizare...

PROBLEMA

¿Golpear un imán debilita su fuerza magnética?

Materiales

- clavo de hierro 16d
- imán de barra
- cronómetro
- clip pequeño
- brújula
- bloque de madera
- cinta adhesiva (*masking tape*)
- martillo
- ayudante adulto

Procedimiento

ADVERTENCIA: Nunca toques una brújula con un imán. Si se toca una brújula con un imán potente se cambia la polaridad de su aguja, ocasionando que la punta marcada norte se vuelva un polo sur y que todas las direcciones se inviertan.

1. Magnetiza el clavo poniéndolo sobre el imán durante 1 minuto.
2. Prueba las propiedades magnéticas del clavo poniéndolo en contacto con el clip. El clavo se ha magnetizado si el clip cuelga de él.
3. Coloca la brújula *cerca* del bloque de madera.
4. Coloca el clavo magnetizado *sobre* el bloque de madera de tal modo que la punta del clavo apunte al este. Al hacer esto se impide que el clavo se magnetice por el campo magnético de la Tierra, el cual está en la dirección norte-sur.
5. Fija el clavo en el bloque con cinta adhesiva.
6. Pide a tu ayudante adulto que golpee el clavo 20 veces con un martillo.
7. Prueba de nuevo las propiedades magnéticas del clavo poniéndolo en contacto con el clip.

Resultados

El clip no queda colgado del clavo una vez que ha sido golpeado con el martillo.

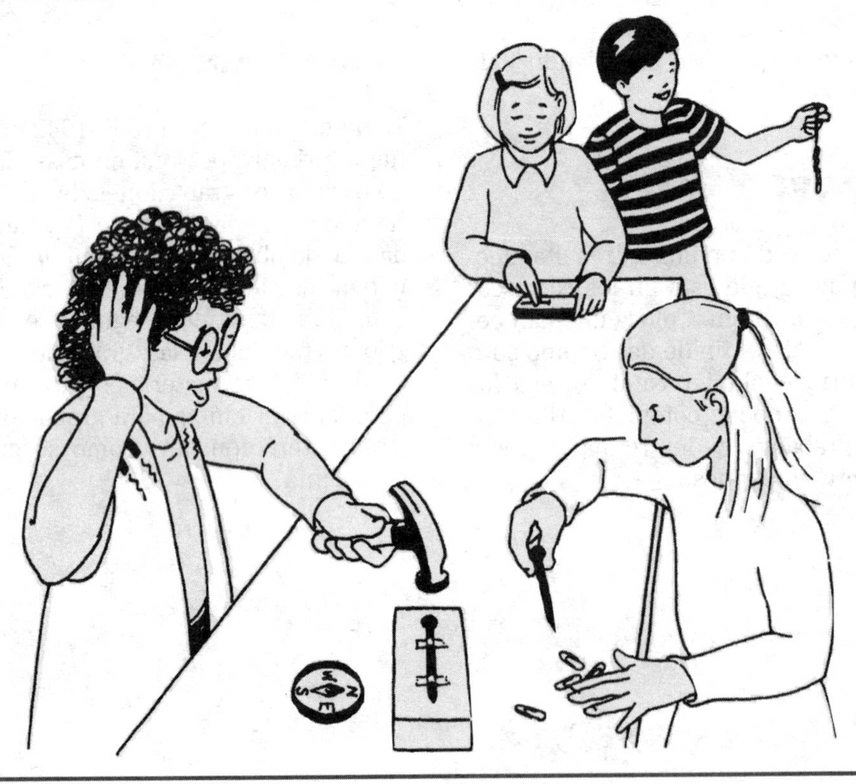

¿Por qué?

Los átomos de un imán no actúan individualmente, sino que se combinan para formar agrupamientos microscópicos llamados dominios. Los átomos de los **dominios** actúan como imanes diminutos y se alinean con sus polos norte apuntando hacia el polo norte magnético de la Tierra. Cuando muchos dominios de un material se alinean de tal modo que los polos norte apuntan en la misma dirección, el material se magnetiza. Con los golpes en el clavo magnetizado se ocasiona que la disposición ordenada de los dominios sea sacudida fuera de su sitio. Los polos norte apuntan aleatoriamente en direcciones diferentes. El clavo pierde sus propiedades magnéticas y se dice que se **desmagnetiza**.

¡EMPIEZA EL JUEGO!

1. ¿Es necesario golpear 20 veces el clavo para desmagnetizarlo? Repite el experimento dejando que la punta del clavo sobresalga del borde del bloque de madera para que pueda tocarse con un clip después de cada golpe con el martillo. Registra el número mínimo de golpes requerido para desmagnetizar el clavo. **¡Gana puntos en la feria de ciencias!**: Elabora diagramas que muestren la posición de los dominios antes y después de golpear el clavo y úsalos como parte del módulo de exhibición de tu proyecto.
2. Si el clavo se colocara de norte a sur, ¿resultaría afectada la facilidad para desmagnetizarlo? Repite el experimento original colocando el clavo en la dirección norte-sur. De nuevo, deja que la punta del clavo sobresalga del borde del bloque de madera y tócala con un clip después de cada golpe del martillo. Compara el número de golpes con el número requerido para desmagnetizar el clavo en la dirección este-oeste.

¡TE TOCA TIRAR!

¿Puede desmagnetizarse un clavo frotándolo hacia atrás y hacia adelante con un imán? Magnetiza un clavo y prueba su magnetismo poniéndolo en contacto con un clip. Frota un imán en una dirección en la superficie del clavo cinco o seis veces y prueba de nuevo las propiedades magnéticas del clavo. Después, frota el clavo en la dirección opuesta y vuelve a probar sus propiedades magnéticas. Exhibe un diagrama que muestre el procedimiento de este experimento e indica los resultados. Recuerda que los materiales desmagnetizados tienen dominios que apuntan en direcciones aleatorias.

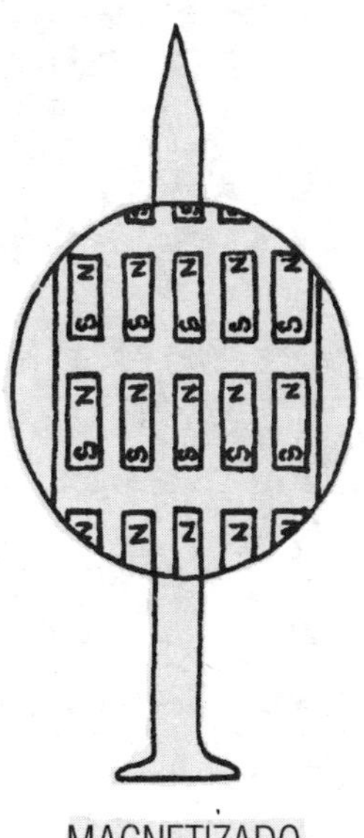

MAGNETIZADO

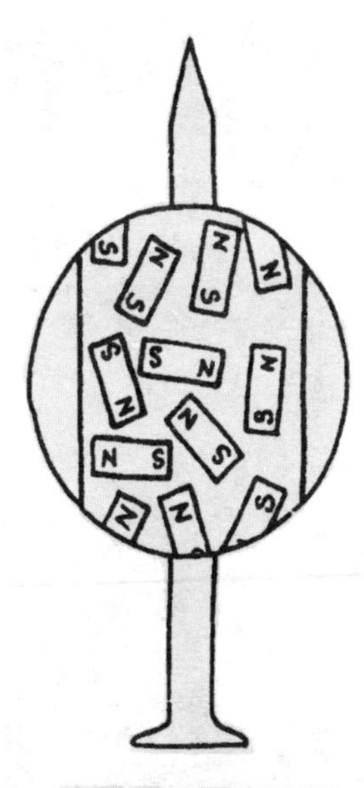

DESMAGNETIZADO

¡SIGUES TIRANDO!

Averigua más acerca de las formas de reducir o destruir las propiedades magnéticas de un imán. ¿Partir a la mitad un imán lo destruye? ¿Cómo afecta el calor a las propiedades magnéticas? ¿Los imanes pierden su fuerza con el tiempo?

Matemáticas

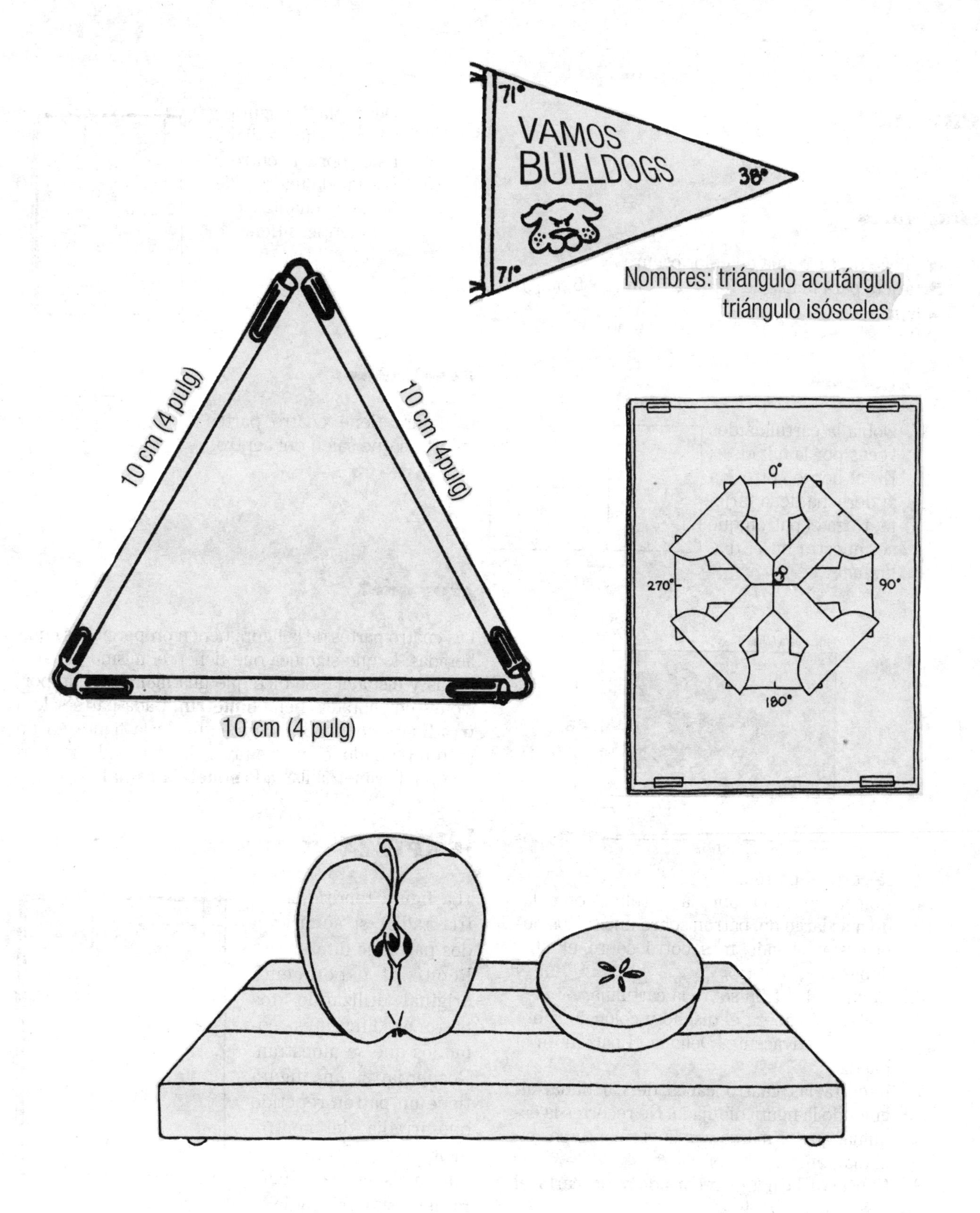

Todos igualitos

PROBLEMA

¿Qué es la simetría radial?

Materiales

- pliego de cartulina de color oscuro
- tarjeta para fichas de 7.5 × 12.5 cm (3 × 5 pulg)
- lápiz
- tijeras

Procedimiento

1. Dobla la cartulina dos veces por la mitad.
2. En el borde corto y a la derecha de la tarjeta, traza el patrón que se muestra en el diagrama.

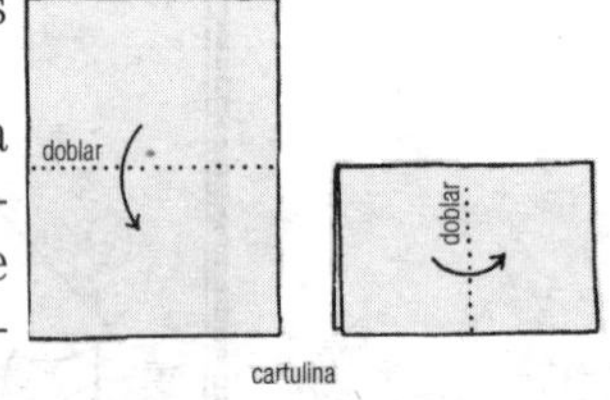

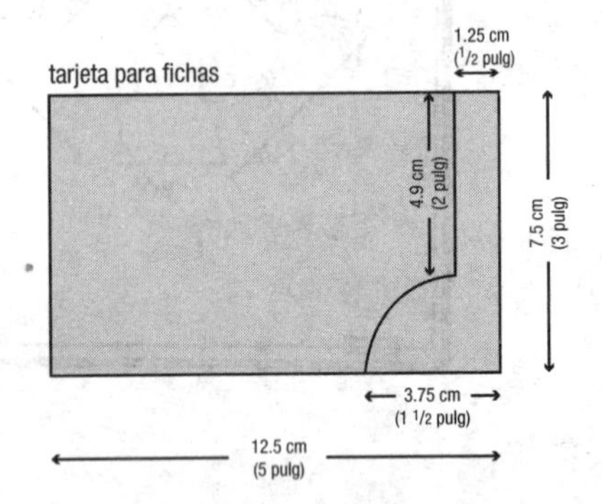

3. Recorta el patrón.
4. Coloca el patrón sobre la cartulina con el lado más largo del patrón sobre uno de los dobleces y el lado más corto sobre el otro doblez.
5. Delinea el patrón sobre la cartulina.
6. Voltea de cabeza el diseño y colócalo sobre el borde adyacente. Delinea el patrón en el papel.
7. Recorta las cuatro capas de cartulina, siguiendo la figura dibujada. No recortes la esquina, que se marca con líneas continuas en el diagrama.
8. Conserva la figura recortada y descarta el resto de la cartulina.
9. Desdobla la figura y traza dos líneas diagonales por su centro.
10. Estudia la figura y determina cuántas partes idénticas tiene.

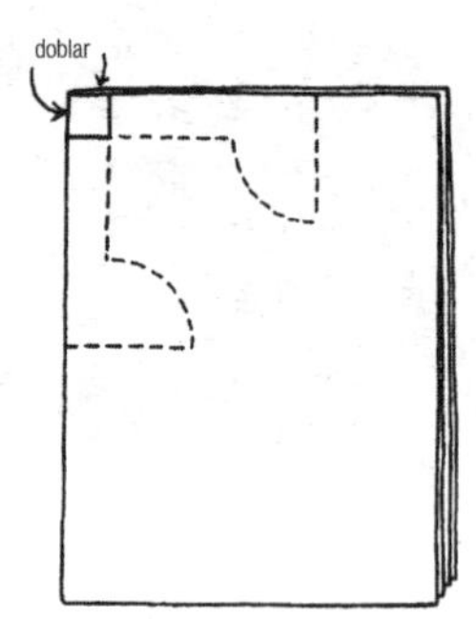

Resultados

La figura tiene cuatro partes idénticas que salen del centro.

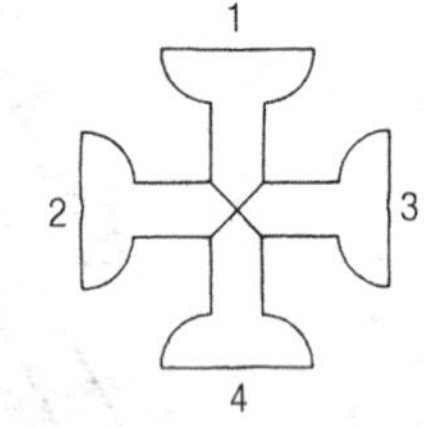

¿Por qué?

Las cuatro partes de la figura tienen proporciones equilibradas, lo que significa que tienen el mismo tamaño, forma y distancia. Se dice que una figura con proporciones equilibradas tiene **simetría**. Cada parte sale o **irradia** (se extiende) del centro de la figura en un patrón repetido, como los rayos de una rueda. Éste es un tipo de simetría llamado **simetría radial**.

¡EMPIEZA EL JUEGO!

¿La figura tendría simetría radial si se usaran dos patrones diferentes? Repite el experimento original utilizando dos patrones diferentes, como los que se muestran. Recuerda, si una figura tiene un patrón repetido que irradia del centro, incluso si el patrón se repite una sola vez, la figura tiene simetría radial.

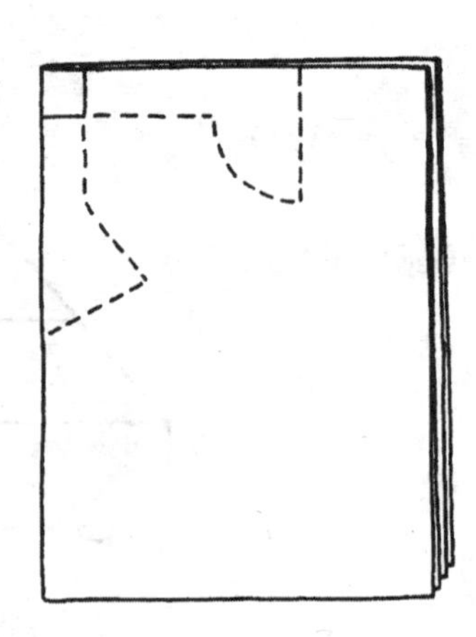

¡TE TOCA TIRAR!

1. Las figuras tienen **simetría bilateral** si, cuando la figura se dobla sobre una línea, las dos mitades son idénticas. La línea entre ambas mitades se llama **línea de simetría**. ¿Cuántas líneas de simetría hay en la figura que hiciste en el experimento original? **¡Gana puntos en la feria de ciencias!**: Elabora un diagrama que muestre cada línea de simetría en la figura. Numera cada una de las líneas. *NOTA: La figura tiene cuatro líneas de simetría.*
2. Las figuras con simetría radial también tienen otra simetría, llamada **simetría rotacional**, lo que significa que uno de los patrones repetidos coincidirá con otro cuando la figura se rota cierto número de grados. Haz una demostración de la simetría rotacional utilizando la figura del experimento original. Coloca la figura en el centro de una hoja de papel carta, de tal modo que los bordes exteriores rectos de la figura queden paralelos a los bordes de la hoja de papel. Coloca el dibujo sobre una pieza de cartón duro más o menos del mismo tamaño que la hoja de papel y fija el papel al cartón con cinta adhesiva. Rotula las cuatro líneas rectas exteriores del dibujo 0°, 90°, 180° y 270° como se muestra. Coloca la figura encima del dibujo y clava una tachuela en el centro de la figura, del dibujo y del cartón. Haz una marca en uno de los patrones repetidos de la figura; después, gira la figura y encuentra todos los grados posibles en los que la figura y el dibujo coinciden. Exhibe este modelo de simetría rotacional y úsalo en tu explicación oral de esta simetría.
3. La naturaleza ofrece muchos ejemplos de simetría bilateral y radial. Las flores como las orquídeas, el dragoncillo y las de chícharo tienen simetría bilateral. Otras flores, como las rosas, los geranios silvestres y dondiegos de día, tienen simetría radial. Estudia la simetría de éstas y otras flores. Utiliza fotografías de las flores para preparar carteles que representen ambos tipos de simetría.

4a. Una manzana sirve para representar la simetría bilateral. Pide a un adulto que corte una manzana a la mitad de arriba hacia abajo. Haz una impresión de una de las mitades de la manzana. Pon en un plato de papel un poco de pintura al temple. Frota el lado cortado de la mitad de la manzana en la pintura y después presiónala sobre una hoja de papel blanco. Deja secar la pintura. Busca una línea de simetría en la impresión. Prueba lo que parece ser una línea de simetría doblando la impresión a la mitad sobre la línea.

b. También puede usarse una manzana para representar la simetría radial. Pide a tu ayudante adulto que corte otra manzana a la mitad. Haz una impresión con una de las mitades como antes. Rotula el tipo de simetría representada y exhibe ambas impresiones.

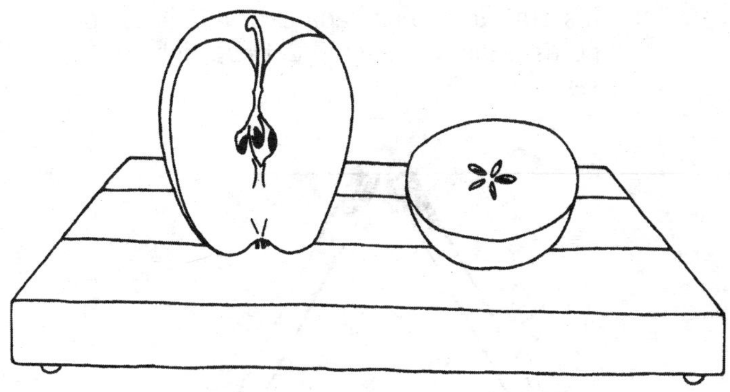

¡SIGUES TIRANDO!

El *punto de simetría* es un tipo especial de simetría rotacional. Consulta un texto de geometría para averiguar más acerca del punto de simetría. ¿Una figura con punto de simetría tiene simetría bilateral? Muestra ejemplos de este tipo de simetría.

¿Lados? Mínimo tres

PROBLEMA

¿Qué es un triángulo?

Materiales

- tijeras
- regla
- 3 popotes de plástico
- 2 clips pequeños

Procedimiento

1. Corta una pieza de 10 cm (4 pulg) de cada popote.
2. Abre cada clip como se muestra en el diagrama.

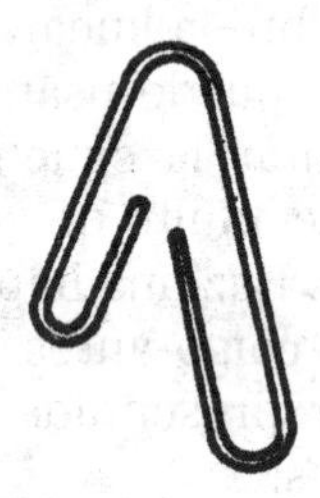

3. Inserta un clip en cada extremo de los popotes. Ajusta el ángulo del clip doblado de ser necesario.

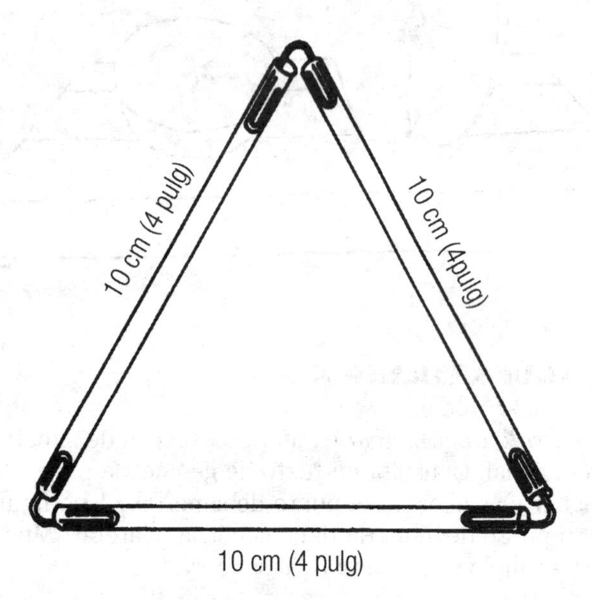

Resultados

Has hecho una figura con tres lados rectos unidos únicamente en donde éstos se cortan.

¿Por qué?

La figura es un ejemplo de un polígono. Un **polígono** es una figura geométrica que empieza y termina en el mismo punto, a la que se denomina **figura cerrada**; es formada por tres o más segmentos de recta que sólo se unen donde éstos se cortan. Cada uno de estos puntos finales sólo está conectado con dos segmentos de recta. Un polígono formado por tres lados se llama **triángulo**. La suma de los ángulos formados por estos tres lados es siempre 180°. Los triángulos se identifican tomando como referencia cuántos de sus lados son iguales o **congruentes**. El triángulo formado en este experimento tiene tres lados congruentes y se llama **triángulo equilátero**.

¡EMPIEZA EL JUEGO!

1. Un triángulo con dos lados congruentes se llama **triángulo isósceles**. Repite el experimento haciendo dos piezas de popote más largas o más cortas que la tercera pieza, para hacer un triángulo isósceles.
2. Ninguno de los lados de un **triángulo escaleno** son congruentes. Repite el experimento original haciendo cada pieza de popote de longitud diferente, para hacer un triángulo escaleno. **¡Gana puntos en la feria de ciencias!**: Prepara un cartel con los tres modelos de triángulos: equilátero, isósceles y escaleno. Usa el cartel como parte del módulo de exhibición de tu proyecto.

¡TE TOCA TIRAR!

1. Construye un geotablero siguiendo estos pasos:

   - Pide a un adulto que introduzca 25 clavos 3d en una pieza de madera que tenga al menos 12.5 cm (5 pulg) de lado. Los clavos deben estar derechos, con la mitad de su longitud sobresaliendo de la madera. La separación entre clavo y clavo debe ser de 2.5 cm (1 pulg) en la disposición mostrada en el diagrama.

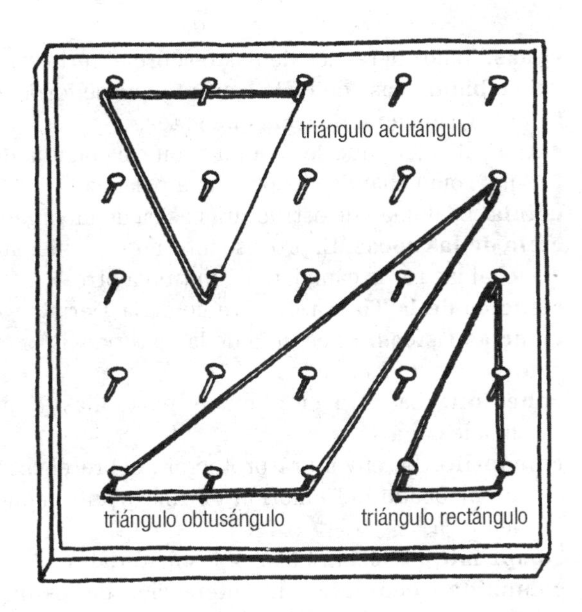

- Estira unas ligas alrededor de los clavos para crear los siguientes triángulos, que se identifican de acuerdo con la medida de sus ángulos:

  Triángulo acutángulo. Todos los ángulos miden menos de 90°.

  Triángulo rectángulo. Un ángulo mide exactamente 90°.

  Triángulo obtusángulo. Un ángulo mide más de 90°.

- Rotula cada triángulo y exhibe el geotablero.

2. El área de los triángulos del geotablero puede calcularse usando la "fórmula de Pick", que se escribe:

$$A = 1/2 \times b + i - 1$$

Esta fórmula se lee: el área (A) es igual a la mitad de b (el número de clavos en el perímetro, o límite exterior, del triángulo) más i (el número de clavos en el interior del triángulo) menos 1. Por ejemplo, para el triángulo obtusángulo del diagrama, el área se calcula aplicando los pasos siguientes:

- Fórmula de Pick:

$$A = 1/2 \times b + i - 1$$

$b = 4$
$i = 2$
$A = 1/2 \times 4 + 2 - 1$

- Los pasos para resolver el problema son: Multiplica los dos primeros números:

$$1/2 \times 4 = 2.$$

Suma 2 al producto: $2 + 2 = 4$.
Resta 1 de la suma: $4 - 1 = 3$.

El área del triángulo obtusángulo es igual a 3 cuadrados del geotablero.

3. Exhibe artículos o dibujos de artículos con formas triangulares, como un banderín o la vela de un bote. El instrumento usado para medir ángulos en grados se llama **transportador.** Utilízalo para medir los ángulos de cada triángulo. Los triángulos se nombran de dos maneras diferentes: 1) de acuerdo con cuántos de sus lados son congruentes, y 2) de acuerdo con la medida de sus ángulos. Coloca ambos nombres en cada artículo triangular que hayas hecho. Los artículos puedes exhibirlos como se muestra:

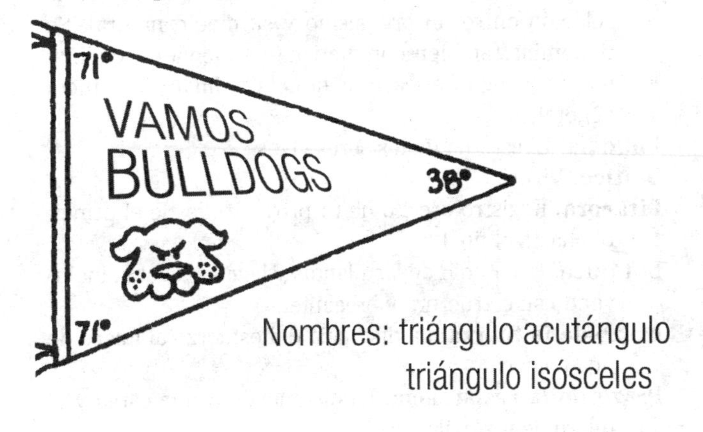

Pregunta a tu maestro acerca del uso del transportador, o consulta un libro de geometría.

Glosario

abiótico. No vivo.
acción refleja. Acción automática involuntaria que se realiza sin pensarlo.
agua subcongelada. Agua líquida abajo del punto de congelación.
aire saturado. Aire que está lleno de vapor de agua.
aislante. Material que retrasa la transferencia de energía calorífica.
analizar. Examinar cuidadosamente y en detalle.
anatomía. El estudio de la estructura de plantas y animales.
arterias. Vasos sanguíneos que transportan sangre fuera del corazón.
astenosfera. La porción del manto abajo de la litosfera.
astronomía. El estudio de las estrellas, los planetas y otros objetos del universo.
átomo. La unidad de construcción de la materia.
atracción. La fuerza que recíprocamente ejercen todos los objetos.
aurícula. La cámara superior del corazón.
auxina. Sustancia química vegetal que hace que las células de una planta se alarguen.
bacterias fijadoras de nitrógeno. Bacterias que cambian el gas nitrógeno en compuestos nitrogenados aprovechables por las plantas.
batolito. Intrusión grande bajo la superficie de la Tierra.
behaviorismo. El estudio de las acciones que alteran la relación entre un organismo y su medio natural. Se denomina también conductismo, etología o, sencillamente y según el caso, conducta animal o conducta vegetal.
biología. El estudio de los seres vivos.
biótico. Vivo.
bitácora. Registro escrito de tu proyecto desde el principio hasta el final.
botánica. El estudio de las plantas y la vida vegetal, incluyendo su estructura y crecimiento.
brazo de la fuerza. La distancia del esfuerzo al fulcro de una palanca.
brazo de la resistencia. La distancia entre la carga y el fulcro de una palanca.
brote. La planta joven que se desarrolla de una semilla.
calor. La energía total de todas las partículas de un objeto.
calor específico. La cantidad de calor necesario para elevar 1°C la temperatura de 1 gramo de sustancia.
campo magnético. El patrón invisible de magnetismo alrededor de un imán.
cañas. Tallos derechos de pasto sobre el terreno.
carámbano. Masa de hielo colgante que se forma por el congelamiento de agua que gotea.
carga. El objeto que se levanta o mueve con una máquina, como cuando se aplica una palanca.
célula. La unidad de estructura básica de un organismo.
cielo de las rocas. El proceso interminable mediante el cual las rocas cambian de un tipo a otro.
ciencias de la Tierra. El estudio de la Tierra.
ciencias físicas. El estudio de la materia y la energía.
cigoto. óvulo fecundado.
cohesión. La atracción entre partículas químicas iguales.
coleóptilo. La envoltura protectora sobre el brote no desarrollado del embrión de una planta monocotiledónea.
comprimir. Presionar entre sí los materiales.
comunidad ecológica. La interacción de los organismos vivos con su ambiente.
conclusión del proyecto. Resumen de los resultados de la experimentación del proyecto y la enunciación de la manera en que los resultados se relacionan con la hipótesis.
condensación. El proceso mediante el cual el vapor cambia a líquido debido a una eliminación de energía calorífica.
conductor eléctrico. Material a través del cual los electrones fluyen con facilidad.
congruente. Igual.
contraer. Estrechar, reducir a menor volumen o extensión.
control. Una prueba en la que todas las variables son idénticas para el experimento que se está llevando a cabo, excepto por la variable independiente.
cordilleras en medio del océano. Grietas en la corteza terrestre que llegan hasta el manto, producidas por el flujo ascendente del magma.
coroides. Capa delgada de tejido en el ojo con intensa pigmentación, que absorbe rayos de luz.
corona. El estrato de gas brillante alrededor del sol.
corriente directa (CD). Corriente eléctrica que fluye en una sola dirección.
corriente eléctrica. Flujo de electrones.
corteza. La delgada cubierta exterior de la Tierra.
cotiledón. La hoja de la semilla que almacena alimento para el embrión de una planta hasta que éste pueda elaborar su propio alimento.

cristal. Un sólido constituido por átomos dispuestos en un patrón ordenado y regular.

cromosomas. Estructuras filiformes en una célula que transmiten instrucciones, en forma muy parecida a un programa de computadora, para hacer funcionar a la célula.

crucero. La tendencia de un mineral a resquebrajarse a lo largo de una superficie uniforme.

cuadro de Punnett. Método para indicar todas las combinaciones posibles de genes que se transmiten de padres a hijos.

cutícula. Piel muerta alrededor de la base y los lados de las uñas de los dedos de las manos.

datos. En este libro, los datos son observaciones y hechos medidos que se obtienen experimentalmente.

densidad. La "pesadez" de un objeto, basada en su masa comparada con su volumen.

desmagnetizar. Reducir o eliminar las propiedades magnéticas haciendo que los dominios sean menos uniformes.

diagrama. Datos u otra información en la forma de tabla, gráfica o lista.

dicotiledónea. Planta que tiene dos cotiledones.

dique. Intrusión vertical y estrecha que asciende y se rompe a través de los estratos rocosos horizontales.

dominio. Agrupamiento microscópico de átomos cuyos polos norte apuntan en la misma dirección.

eclipse solar. El bloqueo de la luz del Sol por la Luna cuando ésta pasa directamente entre el Sol y la Tierra.

ecología. El estudio de la relación de los seres vivos con otros seres vivos y con su ambiente.

ecologista. Científico que estudia los organismos y su ambiente.

ecosistema. Un área definida que combina comunidades bióticas y los ambientes abióticos con los que interactúan.

ectotérmico ("calor exterior"). De sangre fría; organismo cuya temperatura corporal cambia con el ambiente.

efecto motor. Movimiento que resulta de colocar un alambre que lleva corriente directa en un campo magnético.

electricidad. La forma de energía asociada con la presencia y movimiento de cargas eléctricas.

electroimán. Bobina que se magnetiza al hacer pasar un flujo de corriente eléctrica.

electrones. Partículas de un átomo con carga negativa.

embrión. Organismo en su etapa de desarrollo más temprana.

embrionario. No desarrollado.

energía. La capacidad para realizar trabajo.

energía cinética. Energía de movimiento.

energía mecánica. La energía de los objetos en movimiento; energía potencial y energía cinética.

energía potencial. Energía almacenada.

engrane. Rueda con dientes alrededor de su borde exterior.

entrenudos. El área del tallo de una planta entre dos nudos consecutivos.

epicentro. El punto sobre la superficie de la Tierra directamente encima del foco de un temblor de tierra.

epicotilo. La parte del embrión de una planta, localizada arriba del hipocotilo, que se desarrolla para formar el tallo, las hojas, las flores y el fruto de la planta.

erosión. El desgaste de la superficie de la Tierra, generalmente por el viento o por el agua.

esfuerzo. Una fuerza que es aplicada.

espermatozoide. Célula sexual masculina.

espora. Cuerpo unicelular producido por ciertos organismos, como los hongos, el cual puede desarrollarse en un nuevo organismo.

estímulo. Cualquier cosa que ocasione una respuesta en un organismo.

evaporación. El cambio de un líquido a gas debido a la adición de energía calorífica.

experimentación. El proceso de probar hipótesis.

experimento del proyecto. Experimento diseñado para probar una hipótesis.

experimentos de exploración. Según se define en este libro, los experimentos en los que los datos son parte de la investigación.

fecundación. La unión de un óvulo y un espermatozoide para formar un cigoto.

figura cerrada. Figura geométrica que empieza y termina en el mismo punto.

física. El estudio de las formas de energía y las leyes del movimiento. Ver también **electricidad**, **energía**, **gravedad**, **máquinas** y **magnetismo**.

fisiología. El estudio de los procesos vitales, como la respiración, la circulación, el sistema nervioso, el metabolismo y la reproducción.

flotación. La fuerza hacia arriba ejercida por un fluido, como el agua o el aire, sobre un objeto que está en su interior.

foco. El punto en el que se inician las vibraciones de un temblor de tierra.

fósiles. Restos o huellas de formas de vida prehistóricas preservados en la corteza terrestre.

fotosfera. La superficie visible del sol.

fototropismo. La respuesta a la luz del crecimiento de las plantas.

fototropismo negativo. Crecimiento vegetal que se aparta de la luz.

fototropismo positivo. Crecimiento vegetal hacia la luz.

fuerza de la resistencia. El peso de una carga levantada o movida por una máquina.

fulcro. El punto fijo de rotación de una palanca.

gen. Sitios de un cromosoma que determinan los rasgos hereditarios.

gen dominante. Un gen que, cuando está presente, determina un rasgo en el hijo.

gen recesivo. Gen que no determina el rasgo de un descendiente cuando está presente un gen dominante.

genética. El estudio de los métodos de transmisión de las cualidades de padres a hijos; los principios de la herencia en los seres vivos.

geología. El estudio de la composición de los estratos terrestres y de su historia. Ver también los subtemas **mineralogía, sismología, vulcanología, fósiles** y **rocas.**

geometría. La rama de las matemáticas que trata de los puntos, líneas, planos y sus relaciones recíprocas.

germinación. El proceso mediante el cual una semilla empieza a desarrollarse.

girar. Moverse en una órbita alrededor de un objeto.

gráfica de barras. Diagrama que emplea barras para representar datos.

gráfica de líneas. Diagrama que utiliza líneas para expresar patrones de cambio.

gráfica de pastel. Gráfica circular que muestra información en porcentajes.

gravedad. La fuerza de atracción recíproca entre los cuerpos celestes, como planetas y lunas; la fuerza que atrae a los objetos situados en un cuerpo celeste, o en sus cercanías, hacia su centro.

guanina. Sustancia química en la parte posterior del ojo de los cazadores nocturnos que refleja la luz, ocasionando que el ojo dé la impresión de brillar, como en los gatos.

herencia. Transmisión de los rasgos de padres a hijos.

hifa (*hypha*; plural: *hyphae*). Cualquiera de las partes filiformes que constituyen el micelio de un hongo.

higrómetro. Instrumento usado para medir la humedad.

hilio. La cicatriz de color claro y forma oval en la testa de la semilla.

hipocotilo. La parte del embrión de una planta que se desarrolla para formar las raíces y, con mucha frecuencia, la parte baja del tallo de la planta.

hipótesis. Una idea acerca de la solución de un problema, basada en conocimientos e investigaciones.

homogénea. Igual de principio a fin.

hongo (*fungus*; plural: *fungi*). Organismo simple parecido a un vegetal que no puede elaborar sus propios alimentos.

huella. Marca hecha por presión; impresiones hechas por organismos en lodo suave que se preservaron cuando el lodo se solidificó.

humedad. La cantidad de vapor de agua en el aire.

inercia. Resistencia a un cambio en el movimiento.

informe del proyecto. El registro escrito de tu proyecto completo desde el principio hasta el final.

ingeniería. La aplicación del conocimiento científico para fines prácticos.

inhibir. Impedir que ocurra.

inorgánico. No formado a partir de plantas o animales.

intemperización. La fragmentación de una roca en partículas menores por procesos naturales.

intrusión. Flujo de magma que se enfría y endurece antes de alcanzar la superficie.

investigación. El proceso de recabar información y datos acerca de un tema que se esté estudiando.

investigación de temas. La investigación empleada para seleccionar el tema de un proyecto.

investigación del proyecto. La investigación que te ayuda a comprender el tema del proyecto, a plantear un problema, a proponer una hipótesis y a diseñar uno o más experimentos del proyecto.

investigación primaria. Información recabada por uno mismo.

investigación secundaria. Información y datos recabados por alguien más.

irradiarse. Desplegarse.

lacolito. Intrusión en forma de domo que ha empujado hacia arriba los estratos rocosos situados encima.

lava. Magma que ha llegado a la superficie terrestre.

ligamento. Una banda de tejido duro que conecta los extremos de los huesos.

línea de simetría. Línea que divide una figura en dos mitades idénticas cuando la figura se dobla a lo largo de ella.

litosfera. El estrato más exterior de la Tierra, que incluye la totalidad de la corteza y la cubierta del manto.

lúnula. El área blanquecina de la uña en forma de media luna, bajo la cual tiene lugar la totalidad del crecimiento de la uña.

lustre. Brillo.

macizo magmático (*stock*). Intrusión que es menor que un batolito.

magma. Roca fundida bajo la superficie de la Tierra.

magnetismo. La fuerza de atracción o repulsión entre los polos magnéticos; la atracción que ejercen los imanes sobre los materiales magnéticos.

magnitud. Medida de la cantidad de energía liberada por un temblor de tierra.

mamífero. Cualquier animal que tiene columna vertebral, sangre caliente y pelo.

manto. La sección media de la Tierra, entre el núcleo y la corteza.

máquina compuesta. Máquina hecha con dos o más máquinas simples, como son las palancas.

máquinas. Dispositivos que facilitan el trabajo.

marchitarse. Ponerse flácido.

masa. La cantidad de materia en un objeto.

matemáticas. El uso de números y símbolos para estudiar cantidades y formas. Ver también **geometría**.
matriz de la uña. El área rosada carnosa bajo la uña que proporciona una superficie uniforme en la que ocurre el crecimiento lateral de la uña.
médula espinal. Cordón nervioso que corre por el centro de los discos de la columna vertebral.
meduloso. Suave y esponjoso.
melanina. Pigmento que determina el color del cabello, la piel y otros tejidos animales.
metamorfismo. El proceso mediante el cual las rocas cambian de forma debido a la presión y el calor.
meteorología. El estudio del tiempo atmosférico, el clima y la atmósfera terrestre.
método científico. El proceso de considerar las posibles soluciones de un problema y probar cada posibilidad para llegar a la mejor solución.
micelio. La masa enmarañada de hifas en un hongo.
microbiología. El estudio de los organismos microscópicos, como hongos, bacterias y protozoarios.
microgravedad. Cantidad muy reducida de atracción gravitacional, como la que se mide en el espacio exterior.
micrópilo. El punto pequeño en uno de los extremos de un hilio.
mineral. Sólido formado en la tierra por la naturaleza a partir de sustancias que nunca fueron plantas ni animales.
mineralogía. El estudio de la composición y formación de los minerales.
moho. Crecimiento, por lo general velloso, producido en superficies de alimentos y húmedas.
molde. Cavidad en la que puede darse forma a un objeto.
molde fósil. La impresión de un organismo en la cavidad de una roca.
molécula. La menor partícula de una sustancia que conserva las propiedades de la misma.
monocotiledónea. Planta que tiene un cotiledón.
núcleo. La sección más interior y caliente de la Tierra.
núcleos de congelación. Cuerpos, como partículas de polvo o los bordes de superficies irregulares, sobre las que pueden formarse cristales de hielo.
nudo. Un empalme en el tallo de una planta donde generalmente sale una hoja.
objetivo. El problema científico que se ha identificado en la investigación y acerca del cual se plantea una hipótesis.
oceanografía. El estudio de los océanos y los organismos marinos.
onda sísmica P. La onda de presión primaria de un temblor de tierra.
órbita. La trayectoria curva que traza un satélite alrededor de un cuerpo celeste.
orgánico. Formado a partir de materia viva.
organismos. Seres vivientes.
óvulo. Célula sexual femenina, o huevo.
palanca. Una máquina simple, que consiste de una barra rígida y un fulcro, y que se usa para levantar o mover objetos.
palanca de tercer grado. Una palanca en la que el esfuerzo se encuentra entre el fulcro y la carga.
paleontología. El estudio de las formas de vida prehistóricas.
pantógrafo. Máquina compuesta usada para modificar el tamaño de un dibujo.
partículas químicas. Átomos y moléculas.
penicillium. Moho verde azuloso usado para hacer el antibiótico penicilina y quesos, como el Roquefort.
penumbra. La parte exterior más clara de una sombra.
periodo orbital. El tiempo requerido para completar una órbita.
peso. La fuerza con que un objeto es atraído hacia el centro de la Tierra debido a la gravedad y la masa.
pictográfico. Diagrama que contiene símbolos que representan datos.
pigmento. Materia colorante.
planta vascular. Planta que tiene un sistema vascular.
plasticidad. Propiedad de un material sólido para fluir.
plúmula. La parte del embrión de una planta, localizada en la punta del brote embrionario, que consiste en varias hojas diminutas e inmaduras que forman las primeras hojas verdaderas en la madurez.
polea. Máquina que consiste de una rueda acanalada, llamada polea, que sostiene una cuerda y se usa especialmente para levantar pesos.
polea fija. Una polea que permanece en su sitio cuando gira.
polígono. Figura cerrada formada por tres o más segmentos de recta que se unen donde éstos se cortan.
presión. Fuerza aplicada sobre un área.
presión de turgencia. Presión interna en una célula debida al movimiento del agua en su interior.
problema. Una pregunta científica por contestarse.
proceso solar. La fabricación de sal por evaporación del agua del mar.
proporción. Una comparación numérica entre dos valores diferentes.
proyecto de ciencias. Una investigación aplicando el método científico para descubrir la respuesta de un problema científico.
pupila. La abertura oscura del ojo.
punto de congelación. La temperatura a la que un líquido cambia a sólido.
punto de rocío. Temperatura a la que se forma el rocío.
química. El estudio de los materiales que constituyen a las sustancias y de cómo cambian y se combinan.

radícula. La punta del hipocotilo que se desarrolla para formar las raíces de una planta.

rasgo híbrido. Rasgo que resulta de una combinación de pares de genes no idénticos.

rasgo puro. Rasgo que resulta de la combinación de pares de genes idénticos.

rasgos. Características que ayudan a identificar un organismo vivo, como el color del cabello, el color de los ojos y la altura.

raspadura. El color del polvo dejado cuando un mineral se frota contra una superficie irregular que es más dura que el mineral.

raíz ungular. El área bajo la lúnula de una uña donde ocurre el crecimiento longitudinal de la uña.

repulsión. La fuerza que impide que los objetos se atraigan.

roca. Sólido constituido por uno o más minerales.

roca ígnea. Roca formada por el enfriamiento y solidificación de magma.

roca metamórfica. Roca formada a partir de otros tipos de rocas por presión y calor.

roca sedimentaria. Roca formada por depósitos de sedimentos, o pequeñas partículas de material, depositados por el viento, el agua o el hielo.

rocío. Gotitas de agua formadas cuando el vapor de agua del aire se pone en contacto con superficies frías y se condensa.

rotar. Girar sobre un eje.

sal solar. Sal fabricada por el proceso solar.

salina. Lugar donde se fabrica sal por el proceso solar.

salinidad. La medida de la cantidad de sal disuelta en el agua.

satélite. Cuerpo celeste que gira alrededor de otro cuerpo celeste.

savia. Líquido acuoso que contiene minerales y alimentos que se mueven por el sistema vascular de una planta.

semilla. La parte de una planta que contiene el embrión y un alimento almacenado para el embrión; se encuentra protegida por una cubierta exterior.

sensorial. Relacionado con los sentidos.

sentidos. Vista, oído, gusto, tacto y olfato.

simbiosis. Una relación en la que dos organismos que viven juntos se benefician recíprocamente.

simetría. La propiedad de tener proporciones equilibradas —partes que tienen el mismo tamaño, forma y distancia entre ellas.

simetría bilateral. Simetría en la que las dos mitades de una figura son idénticas cuando son divididas por una línea de simetría.

simetría radial. Simetría en la que todas las partes de una figura se irradian desde el centro en un patrón repetido, como los rayos de una rueda.

simetría rotacional. Simetría en la que un patrón repetido de una figura coincide con otro cuando la figura se hace rotar cierto número de grados.

sismógrafo. Instrumento usado para medir y registrar la energía liberada por un temblor de tierra.

sismograma. Registro escrito de la cantidad de energía liberada por un temblor de tierra.

sismología. El estudio de los temblores de tierra.

sistema vascular. Sistema vegetal que contiene haces de tubos vasculares.

solución. La mezcla homogénea de un soluto con un solvente.

solución saturada. Una solución en la que un solvente contiene la cantidad máxima de soluto disuelto.

soluto. Sustancia que se fragmenta en partes más pequeñas y se mueve en un solvente; la sustancia en cantidad menor en una solución homogénea.

solvente. Una sustancia en la que se diluye un soluto; la sustancia de la que hay mayor cantidad en una solución homogénea.

tabla. Diagrama que usa palabras y números en columnas y renglones para representar datos.

tallo. Parte de una planta que crece arriba del terreno.

tejido. Grupo de células que realizan una función especial.

temblor de tierra. Sacudida violenta de la corteza terrestre ocasionada por un movimiento repentino de las rocas bajo su superficie.

teoría de la generación espontánea. Teoría de que los organismos vivos provienen de materia no viviente.

testa de la semilla. La cubierta exterior de protección de una semilla.

trabajo. Resultado de una fuerza que mueve un objeto.

transformar. Cambiar de una forma a otra.

transpiración. El proceso mediante el cual las plantas pierden vapor de agua por sus hojas.

transportador. Instrumento usado para medir ángulos en grados.

triángulo. Polígono de tres lados.

triángulo acutángulo. Un triángulo en el que todos los ángulos miden menos de 90°.

triángulo equilátero. Triángulo con tres lados congruentes.

triángulo escaleno. Triángulo sin lados congruentes.

triángulo isósceles. Triángulo con dos lados congruentes.

triángulo obtusángulo. Triángulo en el que uno de los ángulos mide más de 90°.

triángulo rectángulo. Triángulo en el que uno de los ángulos mide exactamente 90°.

tubos del floema. Tubos vegetales que transportan a toda la planta la savia que contiene el alimento elaborado en las hojas.

tubos del xilema. Tubos vegetales que transportan de las raíces a toda la planta savia que contiene agua y minerales.

tubos vasculares. Tubos que transportan savia en las plantas; tubos del xilema y tubos del floema.

turgencia. En una célula vegetal, firmeza debida a la presión de turgencia.

umbra. La parte interior más oscura de una sombra.

vaciado. Reproducción sólida de un organismo, que tiene la misma forma exterior que el organismo, la cual se hace llenando un molde con una sustancia que endurece, como el lodo o el yeso.

válvula. Estructura que controla el flujo sanguíneo en una sola dirección.

vapor de agua. Agua en estado gaseoso.

variable. Algo que tiene un efecto sobre un experimento. Ver también **variable independiente, variable dependiente** y **variable controlada.**

variable controlada. Algo que se mantiene igual en un experimento.

variable dependiente. La variable que se está observando en un experimento, la cual cambia en respuesta a la variable independiente.

variable independiente. Variable manipulada en un experimento que produce un cambio en la variable dependiente.

venas. En una hoja, estructuras de conducción constituidas por haces de tubos vasculares que forman el armazón por el que fluye la savia; en animales, vasos sanguíneos que llevan sangre al corazón.

ventaja mecánica (VM). La cantidad en que una máquina incrementa un esfuerzo.

ventrículo. La cámara inferior de un corazón.

veta intrusiva (*sill*). Intrusión horizontal delgada que está intercalada entre estratos rocosos.

vibrar. Sacudirse repetidamente para atrás y para adelante.

viscosímetro. Medidor usado para medir la rapidez del flujo de un fluido.

viscosidad. La resistencia de un líquido a fluir.

volumen. La cantidad de espacio que ocupa un objeto con base en su largo, ancho y profundidad.

vulcanismo intrusivo. El movimiento de magma en el interior de la Tierra.

vulcanología. El estudio de los volcanes.

zona de fractura (*rift valley*) o valle de fallado. Grieta en una cadena montañosa submarina que se extiende hasta el manto de la Tierra.

zoología. El estudio de los animales, incluyendo su estructura y crecimiento.

Para aprender más

...puedes encontrar libros interesantes en la biblioteca de tu escuela o la que quede más cerca de tu casa. Te recomendamos leer:

Al descubrimiento de la ciencia. México, Limusa-Consejo Nacional de Ciencia y Tecnología.

Al descubrimiento de la tecnología. México, Limusa-Consejo Nacional de Ciencia y Tecnología.

Anatomía para niños y jóvenes: actividades superdivertidas para conocer el cuerpo humano y su funcionamiento. VanCleave, Janice. México, Editorial Limusa.

Animales. VanCleave, Janice. México, Editorial Limusa.

Astronomía para niños y jóvenes: 101 experimentos superdivertidos. VanCleave, Janice. México, Editorial Limusa.

Biología para niños y jóvenes: 101 experimentos superdivertidos. VanCleave, Janice. México, Editorial Limusa.

Ciencias de la Tierra para niños y jóvenes: 101 experimentos superdivertidos. VanCleave, Janice. México, Editorial Limusa.

Cómo acercarse a la astronomía. Fierro, Julieta. México, Noriega Editores-Consejo Nacional para la Cultura y las Artes.

Cómo acercarse a la ciencia. Pérez, Ruy. México, Noriega Editores-Consejo Nacional para la Cultura y las Artes.

Cómo acercarse a la geografía. Córdova, Carlos. México, Noriega Editores-Consejo Nacional para la Cultura y las Artes.

Cómo acercarse a la química. Chamizo, José Antonio. México, Noriega Editores-Consejo Nacional para la Cultura y las Artes.

Ecología para niños y jóvenes: actividades superdivertidas para el aprendizaje de la ciencia. VanCleave, Janice. México, Editorial Limusa.

Ecología, Salvemos al planeta Tierra. Gutiérrez, Mario. México, Editorial Limusa.

El fascinante mundo de las matemáticas. Langdon, Nigel. México, Noriega Editores.

Electricidad. VanCleave, Janice. México, Editorial Limusa.

Física para niños y jóvenes: 101 experimentos superdivertidos. VanCleave, Janice. México, Editorial Limusa.

Física recreativa: la feria ambulante de la física. Walker, Jearl. México, Editorial Limusa.

Geografía para niños y jóvenes: ideas y proyectos superdivertidos. VanCleave, Janice. México, Editorial Limusa.

Las fuentes de la vida. Asimov, Isaac. México, Editorial Limusa.

Máquinas. VanCleave, Janice. México, Editorial Limusa.

Matemáticas para niños y jóvenes: actividades fáciles para aprender matemáticas jugando. VanCleave, Janice. México, Editorial Limusa.

Química para niños y jóvenes: 101 experimentos superdivertidos. VanCleave, Janice. México, Editorial Limusa.

...puedes visitar los museos y zoológicos de tu ciudad. Por ejemplo, si vives en la ciudad de México:

Acuario Aragón
Centro de Convivencia Infantil
Bosque de Aragón
México, D. F.

Centro Cultural Alfa
Roberto Garza Sada 1000
San Pedro Garza García, N. L.

Museo de Ciencias "Explora"
Blvd. Adolfo López Mateos 1923
León, Gto.

Museo de Geología
Jaime Torres Bodet 176
Santa María la Ribera
México, D. F.

Museo de Historia Natural
3a Secc. Bosque de Chapultepec
México, D. F.

Museo de la Luz
El Carmen y San Ildefonso
México, D. F.

Museo Tecnológico C.F.E.
2a Secc. Bosque de Chapultepec
México, D. F.

Palacio de Minería
Tacuba 5
Centro Histórico
México, D. F.

Papalote, Museo del Niño
Constituyentes 268, 2a Secc. Bosque de Chapultepec
México, D. F.

Planetario Luis Enrique Erro
Instituto Politécnico Nacional
Zacatenco
México, D. F.

Planetario Huitzilopochtli
Pedro A. de los Santos y Constituyentes
Bosque de Chapultepec
México, D. F.

Plaza Sésamo
Parque Fundidora de Monterrey
Monterrey, N. L.

Universum
Cd. Universitaria
México, D. F.

Zoológico Africam Safari
Valsequillo, Pue.

Zoológico de Aragón
Bosque de Aragón
México, D. F.

Zoológico de Chapultepec
Bosque de Chapultepec
México, D. F.

Zoológico de Morelia
Morelia, Mich.

Zoológico de Zacango
Calimaya, Edo. de México

ZooMAT
Tuxtla Gutiérrez, Chis.

...ver en la televisión interesantes programas. Por ejemplo:

Con curiosidad científica

Cómo, por qué, para qué

El mundo de Beakman

El show de la ciencia

Discovery kids

...o también puedes navegar a los sitios de:

www.devon.esc.edu.ar/proyectos/feria-ciencias

www.papalote.org.mx

www.universum.com.mx

www.unq.edu.ar/mercotec/trabajos.htm

Índice

La edición, composición, diseño e impresión de esta obra fueron realizados
bajo la supervisión de GRUPO NORIEGA EDITORES.
Balderas 95, Col. Centro. México, D.F. C.P. 06040
1219890000104544DP9237IE